ISBN 978-1-332-37124-2
PIBN 10359414

RECUEIL

DE

DOCUMENTS MILITAIRES ALLEMANDS

DE

Documents Militaires Allemands

DE LA

GRANDE GUERRE
1914-1918

Publiés pour la première fois
avec l'autorisation du Grand Quartier Général
A l'usage des Écoles Militaires et Établissements Secondaires des Officiers, des Interprètes et Aspirants de toutes armes

Par l'**Officier-Interprète GRIFFON**
Professeur à l'École Spéciale Militaire de Saint-Cyr
et au Lycée de Lille

Accompagnés d'Introductions et de Commentaires tactiques
Par le **Commandant breveté MÉRA**
de l'État-Major de l'Armée.

Préface du Général DE MAUD'HUY
Gouverneur de Metz.

Ouvrage pourvu d'un **LEXIQUE ALLEMAND-FRANÇAIS** des termes militaires et de nombreux **CROQUIS** et **CARTES D'ÉTAT-MAJOR**

LIBRAIRIE CHAPELOT

1920

L'autorisation de publier les *Documents militaires allemands* du présent recueil a été accordée par le

Maréchal Commandant en Chef

à la date du 28 janvier 1919.

(Grand Quartier Général des Armées du Nord et du Nord-Est, 2e Bureau n° 5.301/2.)

PRÉFACE

Nos pères disaient : « Si l'ost savait ce que pense l'ost, l'ost battrait toujours l'ost ».

Connaître son ennemi, d'après ce qu'il a fait, deviner ce qu'il fera, sera toujours la base de l'art de la guerre.

Pour connaître son ennemi, quel moyen meilleur que lire ses rapports, ses compte-rendus, ses ordres et les lire dans le texte original.

Chaque langue a son génie propre. On ne comprend pas Clausewitz en le lisant dans une traduction. Le français ne peut exprimer complètement que des idées françaises, l'allemand que des idées allemandes.

Jeunes camarades, si vous voulez devenir des chefs, il vous faut connaître l'ennemi toujours possible ; il vous faut connaître sa langue, sa langue militaire surtout, sa mentalité, sa pensée.

Pour cela, lisez, relisez, méditez les documents allemands que vos anciens vous apportent après les avoir choisis, entre mille. En les lisant, ayez une pieuse pensée pour ceux qui les ont conquis au prix de leur sang. Chacun de ces documents est un trésor inestimable puisqu'il a été payé de vies françaises.

Paris, le 30 janvier 1920.

AVANT-PROPOS
DES AUTEURS

I

Les Saint-Cyriens des promotions de guerre « Sainte Odile » et « La Fayette », parcourant les pages de ce Recueil, reconnaîtront les textes étudiés par eux au cours d'allemand de l'*Ecole Spéciale Militaire*, pendant le rapide séjour qu'ils y firent avant leur départ pour le front, où les appelait la Victoire prochaine.

En novembre 1917, après que le concours de Saint-Cyr eut été rétabli en pleine période d'hostilités, la *Direction de l'Infanterie* décida de réorganiser l'enseignement de l'allemand à l'Ecole dans la mesure du temps laissé disponible par d'impérieuses nécessités du programme d'instruction militaire.

Chargé de cet enseignement, nous avons eu à choisir les moyens les mieux adaptés aux fins envisagées, c'est-à-dire aux « buts de guerre », et à créer, sans retard, des instruments de travail pratiques, immédiatement utilisables par de futurs officiers appelés à commander bientôt une section ou une compagnie devant l'ennemi, et qui devaient s'initier à la terminologie militaire allemande nouvelle pour les besoins éventuels de leur service aux Armées.

Les documents ne manquaient point dans les archives du 2e Bureau du G. Q. G., qui mit à notre disposition une précieuse collection de pièces intéressantes, sous la réserve qu'elle garderait, pendant les hostilités, un caractère confidentiel et resterait dans le domaine de l'enseignement militaire.

Les textes choisis parurent d'abord en fascicules autographiés par la presse de l'Ecole. Leur valeur d' « actualité » sollicita au plus haut point la curiosité de nos jeunes élèves et leur désir d'étudier des ordres allemands analogues à ceux qu'ils pouvaient avoir à exploiter pour leur propre compte pendant le reste de la campagne.

La perspective de la reprise de la guerre de mouvement dans la suprême offensive refoulant l'envahisseur jusqu'au delà du Rhin; l'espoir de transporter le théâtre des opérations, par l'avance victorieuse des Alliés, en pays de langue étrangère; la prévision d'une longue période d'occupation, tels furent les stimulants d'un zèle studieux auquel nous tenons à rendre hommage.

L'autorisation nous ayant été accordée de publier après l'armistice ces documents, nous avons pensé compléter au mieux leur valeur intrinsèque pour l'étude du vocabulaire militaire par leur utilisation comme « références » en vue d'études tactiques. Aussi avons-nous demandé à une collaboration compétente et très informée de l'évolution de l'armée allemande au cours de la guerre de replacer dans leur « cadre » les divers groupements de documents, et, par des exposés d'ensemble ou commentaires appropriés, d'en dégager un maximum d'enseignements.

La sélection des textes de ce Recueil pourra paraître fort incomplète en comparaison de la masse imposante de documents pris à l'ennemi et si l'on fait état de la diversité du vocabulaire nouveau que toutes les armes et spécialités ont dû créer.

Qu'on veuille bien considérer ce travail comme un modeste essai de synthèse des éléments indispensables d'information, mais non comme une encyclopédie tactique. Si toutefois la nécessité d'en élargir les bases pour un tirage ultérieur se faisait sentir, nous accueillerions avec reconnaissance les suggestions de nos collègues, soit qu'ils nous signalent des imperfections à corriger ou les lacunes les plus utiles à combler.

Nous nous faisons un devoir d'exprimer notre gratitude :

Au 2e *Bureau du Grand Quartier Général* et au *Service géographique de l'Armée* pour tous les

Au Lieutenant-Colonel Picard, commandant le Centre d'instruction des Elèves-Aspirants de Saint-Cyr, pour les encouragements bienveillants qu'il nous a donnés dès la première heure où nous avons entrepris cette publication.

Ch. G.

Ecole Spéciale Militaire de Saint-Cyr.
Mai 1919.

II

Les documents de l'armée allemande, capturés au cours de la Grande Guerre, ne sont pas seulement révélateurs d'une terminologie nouvelle, d'une langue militaire fournie, complexe et souvent imprévue, propres à intéresser bien des Français qui se croyaient en possession de l'allemand moderne, ils fournissent aussi, même dans les comptes rendus les plus simples et les plus modestes, des renseignements militaires et techniques importants.

Les Allemands ont une manie qui découle elle-même du sérieux qu'ils apportent en bien des choses, de leur méticulosité ordonnée, de leur « deutscher Fleiss », peut-être aussi de ce penchant que Nietzsche appelait avec ironie, chez eux, la « maladie historique ».

Les documents militaires de tout ordre de l'armée allemande procèdent du même esprit : les avis, instructions, ordres, rapports, comptes rendus spéciaux et journaliers y sont abondants, détaillés, consciencieux, objectifs.... Ils offrent à l'historien et au chroniqueur une source d'une richesse certaine, grâce à laquelle on pourra, à l'avenir, pénétrer la psychologie des combattants et des chefs en sous-ordre bien plus que par les coupures d'une presse essentiellement soumise et tendancieuse, ou par les historiques des corps de troupe établis après coup.

Les documents groupés dans le présent travail ne peuvent cependant pas être mis entièrement à profit si on ne prend soin de les « situer » à l'époque à laquelle ils ont été établis, — celle de la troisième année de la guerre (1917), — et si on n'y ajoute quelques précisions techniques sans lesquelles la compréhension du texte laisserait peut-être à désirer. C'est là le but des *exposés tactiques* (infanterie, artillerie), ou de modalités spéciales de la lutte (guerre chimique), et des *commentaires* d'ordres et rapports journaliers. Les uns et les autres n'ont qu'une intention : celle de faciliter aux jeunes camarades et aspirants l'intelligence des méthodes allemandes dans un esprit constant de comparaison. Partout, les conditions psychologiques de la guerre sont identiques. Les émotions et les préoccupations d'un adversaire se retrouvent aussi chez l'autre, avec des différences dues à la race et à l'éducation. Si donc les facteurs de la lutte sont comparables, c'est vers l'étude des réactions qu'ils déterminent que doit s'orienter le sens critique.

Il va de soi que le sujet n'est pas épuisé. Il n'est même qu'effleuré. Tel qu'il est, il donne une idée du labeur attachant que réserve aux historiens et chroniqueurs futurs de la Grande Guerre l'exploitation méthodique et sérieuse de l'amas immense de documents militaires allemands qui sont tombés entre nos mains.

C'est pour nous un plaisir de remercier ici le Lieutenant-Colonel breveté Lambrigot; le Commandant breveté Rivière, du Grand Quartier Général; le Capitaine Calmena d'Almeida, de l'Etat-Major de l'Armée, et le Professeur Achard, de l'Académie de Médecine, qui ont bien voulu apporter amicalement à ce travail, dans les domaines de l'infanterie, de l'artillerie et des corps de troupe allemands, ou dans celui de la guerre chimique, qui leur sont familiers, des précisions sans lesquelles notre étude aurait perdu infiniment de son utilité et de son intérêt.

E. M.

Etat-Major de l'Armée.
Paris, mai 1919.

TABLE DES MATIÈRES

PREMIÈRE PARTIE

INFANTERIE

Introduction :

PROTECTION CONTRE LES GAZ

Introduction :

Documents :

DEUXIÈME PARTIE

ARTILLERIE ET PIONNIERS

Introduction

Documents et ordres d'artillerie :

APPENDICE

PREMIÈRE PARTIE

INFANTERIE

INTRODUCTION

Situation militaire de l'Allemagne en juin 1917

En juin 1917, l'Allemagne paraissait être au sommet de sa puissance de guerre.

L'année 1916, marquée par la défaite roumaine, les arrêts des attaques italiennes après Gorizia, de l'offensive franco-anglaise de la Somme et de la poussée russe de Galicie-Volhynie, avait — en dépit de l'humiliant échec allemand de Verdun — fini en grisaille pour l'Entente, en beauté pour les Puissances centrales. A n'en juger que par la « carte de guerre » de la fin de cette année — et malgré notre succès de décembre sur la rive droite de la Meuse — la victoire des Empires centraux semblait, chez les neutres, ne laisser aucun doute. Et chez nous, même, l'arrêt immédiat de notre offensive du 16 avril avait laissé planer sur nos premières opérations de 1917 un malaise qui n'était pas dissipé.

Malgré ces apparences, c'était l'Allemagne qui renfermait en elle le germe de la défaite.

Elle avait fait en 1916 un effort prodigieux, mais dont elle ne pouvait plus soutenir longtemps l'intensité. Elle avait dû constituer 38 divisions nouvelles (portant le nombre de ses divisions de 173 à 211), et ses mesures extrêmes de recrutement étaient de celles qu'on ne peut pas renouveler. De plus en plus — en raison du degré d'usure de l'armée austro-hongroise, de la diminution du moral des Bulgares, de l'épuisement des Turcs — le poids de la guerre retombait sur les épaules allemandes. En outre, sans être acculée à la famine, l'Allemagne était déjà soumise à des privations déprimantes et son peuple, morne, résigné, indifférent, n'aspirait qu'à la paix.

Si donc, en dépit de ses victoires et de ses conquêtes, l'Allemagne, par ses propositions du 12 décembre 1916, avait été *la première à parler de paix*, c'est qu'elle avait déjà de cette paix le plus urgent besoin.

C'est dans cette période relativement courte (avril à septembre) de succès apparents et de lassitude profonde, d'organisation militaire tendue jusqu'à son paroxysme et de moral sourdement miné, que se placent les documents allemands authentiques de 1917 qu'on trouvera ici.

Composition de l'armée allemande en 1917

Au printemps de 1917, l'armée allemande comprenait :

1° Des corps actifs; 2° des formations de réserve (corps d'armée ou divisions); 3° des divisions nouvelles, formées par prélèvement sur les formations précédentes (active ou réserve); 4° des formations d'ersatz; 5° des formations de landwehr; 6° des formations de landsturm.

Cette énumération, et celle des unités spéciales créées au cours de la guerre, indiquent avec quel soin nos adversaires ont conduit le travail d'utilisation des ressources en cadres, en hommes et en matériel indispensable pour assurer la reconstitution continuelle de leurs grandes et de leurs petites unités. A l'esprit méthodique et obstiné que nous leur connaissions, les Allemands surent joindre une souplesse inattendue, créatrice d'initiatives et de moyens nouveaux.

Les régions de corps d'armée du temps de paix n'avaient pas toutes pu fournir un corps d'armée *de réserve*. Seules quelques régions très peuplées (Berlin, Pologne, Westphalie) avaient pu le fournir. Les autres avaient dû réunir leurs ressources pour constituer des corps d'armée de réserve, ou même des divisions isolées.

Après l'échec complet de leur offensive sur Paris, les Allemands organisèrent des corps d'armée nouveaux au nombre de 10, plus 2 divisions isolées (octobre 1914-janvier 1915) avec des ressources mélangées tirées des dépôts. Ils les appelèrent corps d'armée de réserve.

A partir du printemps de 1915, les Allemands ne purent plus, faute de cadres et de ressources en hommes, former de toutes pièces des éléments nouveaux. Ils les constituèrent *par prélèvement de régiments* sur les corps d'armée actifs et de réserve existants. Ce fut la cause de la réduction générale des divisions d'infanterie à trois régiments. On vit apparaître, comme unités *nouvelles*, 24 divisions et un corps alpin à quatre régiments. La 103e division, formée en mai 1915, dont on verra ci-après des rapports journaliers, fit partie de ces créations.

En 1916, *30 divisions* nouvelles, obtenues par un procédé similaire, et *6 divisions* formées à l'intérieur; dans l'hiver 1916-1917, *13 autres divisions* également formées en Allemagne, *44 divisions* environ de landwehr de valeur très inférieure aux précédentes, et environ *10 divisions* de landsturm, telles furent — avec *14 divisions mobiles d'ersatz* (réduites plus tard à 6) — les grandes unités d'infanterie de qualités diverses que les Allemands purent créer de façon successive d'août 1914 à mai 1917. Les formations de landsturm, formées avec des hommes correspondants à nos R. A. T., n'étaient employées qu'à l'arrière et sur les lignes de communication.

Physionomie des unités d'infanterie en 1917

LA COMPAGNIE

Des modifications notables avaient été apportées par suite de la spécialisation par l'engin et de la spécialisation du « cran » à la physionomie de la compagnie.

Sans doute, en 1917, elle comprenait toujours 3 Züge (de 1 Officier, 2 Feldwebel, 4 Sergeanten, 8 Unteroffiziere et 64 hommes, chacun), 6 Halbzüge, 12 Korporalschaften et 24 Gruppen (chacun de 1 Unteroffizier et 8 hommes, ou 2 files-Rotten). Mais on était loin des 240 fusils (80 par Zug) qu'elle mettait en ligne à la mobilisation. C'est à peine si elle en alignait 80, tout en conservant cependant 120 à 150 combattants et 180 rationnaires. L'effectif des *fusiliers* avait été ainsi réduit des deux tiers. C'est que, pour fournir les nombreuses petites unités nouvelles que le matériel avait fait naître dans les unités (mitrailleuses légères, lance-grenades, pionniers, équipes techniques, etc.), et par suite de la conception des « stosstruppen » sélectionnées, le nombre des détachés (abkommandierte) s'était grandement accru. Il avait fini par devenir même la majorité, les fusiliers ne représentant plus guère que le tiers d'un effectif de compagnie déjà amoindri.

Des modifications avaient été également introduites dans les attributions des sous-officiers.

Les *gradés subalternes* restaient : le Gefreiter, l'Unterof fizier et le Sergeant. Mais les *sous-officiers* véritables étaient, avec des attributions élargies, le Vizefeldwebel, le Feldwebel, l'Offizierdiensttuer (sous-officier de l'active) et l'Offizierstellvertreter (sous-officier de réserve), tous « Portépéeträger ». Et, au-dessus d'eux, se classaient les *aspirants-officiers*, création remarquable, permettant d'utiliser à outrance l'élite de la jeunesse instruite et d'économiser les cadres officiers décimés par les pertes de 1914 : *Fähnrich* (Portépéefähnrich ou enseigne), *Fahnenjunker* (ou Avantageur), *Offizier-Aspirant* et *Feldwebelleutnant*, ce dernier grade réservé exceptionnellement aux sous-officiers sans titres universitaires, ayant de longs services ou des actions d'éclat.

Enfin, l'organisation d'une *4e section* — chose nouvelle — était prévue, en 1917, pour des actions exigeant soit une résistance de longue durée, soit un effort décisif. Cette section, pourvu de spécialistes (Sturmtrupp de compagnie, grenadiers, tireurs d'élite) et maintenue en réserve, permettait à la compagnie de conserver sa force combative ou d'organiser une action offensive dans son propre secteur.

Le fantassin, en 1917, était toujours armé du *fusil* Mannlicher, Mle 1898, à lame-chargeur de cinq cartouches. La balle ordinaire S était remplacée pour les tirs de précision par la balle S. M. K. à noyau en acier très dur, donnée seulement aux tireurs d'élite armés du *fusil à lunette*. Il était fait aussi usage d'un *tromblon* lance-grenades assez analogue à notre V. B.

Le *Granaten-Werfer* de 1917 était moins lourd que celui de 1916. La compagnie en possédait trois et lançait avec lui, sans fumée et presque sans détonation, un engin qu'on a comparé à l'obus de 77. Il y avait aussi en service un *lance-grenades* de fortune, portatif et simple, lançant la grenade 1915, et très facile à déplacer.

La *mitrailleuse légère 08-15* avait fait son apparition à la fin de 1916 pour lutter contre notre excellent fusil-mitrailleur. Elle n'était qu'une mitrailleuse Maxim 1908 modifiée, pesant encore 22 kilogrammes, à peine 3 kilogrammes de moins que la mitrailleuse 1908. C'est dire que, malgré sa bretelle, elle ne remplissait pas, sans difficultés, le rôle de notre fusil-mitrailleur, lors des attaques, dans les premières lignes. On dota d'abord de trois, puis de six pièces de ce type léger chacune des compagnies allemandes, et on en comptait déjà 6.000 en service en septembre 1917.

LE BATAILLON

Le bataillon comptait, en chiffres ronds, 800 hommes (700 — 175 par compagnie — sur le front occidental, suivant une circulaire du 12-3-17), après avoir eu longtemps un effectif supérieur. La réduction correspondait à la baisse des effectifs, à l'accroissement des spécialistes et à la création des régiments nouveaux.

L'*état-major du bataillon*, d'un effectif élevé, était un centre tactique très agissant. On y comptait : 5 officiers à titre fixe, 8 officiers spécialistes rattachés suivant les nécessités, 4 officiers de la compagnie de mitrailleuses et 2 du détachement de minenwerfers légers de bataillon, sans compter le personnel du T. C. (Gefechtsbagage) et celui du T. R. (Grosse Bagage). C'était donc un effectif variable de 10 à 20 officiers, sous les ordres directs du chef de bataillon (Major, Hautpmann, parfois Oberleutnant).

L'*ordre de marche* du bataillon était : les quatre compagnies (avec leurs M. G. 08/15 Trupps), la compagnie de mitrailleuses 08 (M. G. K.) et le détachement de minenwerfers légers (M. W.).

Dès la fin de 1914, les Allemands avaient cherché à doter de *mitrailleuses* supplémentaires les régiments d'infanterie qui avaient commencé la campagne avec une compagnie de 6 pièces (Maxim Mle 1908). Mais ce ne fut que par la circulaire ministérielle du 25 août 1916 que tous les *bataillons* furent pourvus d'une compagnie de mitrailleuses de 6 pièces formée par remaniement des formations existant dans les régiments. En septembre 1917, on comptait déjà 20.000 mitrailleuses 1908.

Le bataillon d'infanterie était doté de 4 *Minenwerfers légers* du calibre de 7 $^{c}/_{m}$ 5 (portée maxima de 1.300 mètres, projectile de 4 k. 500, contenant 560 gr. d'explosifs). Les chefs de bataillons étaient chargés de l'utilisation de ces engins, destinés à des tirs de harcèlement.

LE RÉGIMENT

Le régiment d'infanterie comprenait :

Trois bataillons du type ci-dessus indiqué;

Un détachement de liaison (Nachrichtenzug), auquel étaient rattachés certains organes (chiens, estafettes);

Une compagnie de pionniers d'infanterie.

Tel était, en 1917, le régiment allemand.

Mais le développement extraordinaire donné à l'emploi des engins de combat et les nécessités d'une lutte rapprochée et opiniâtre avaient provoqué la création soit *d'unités régimentaires* complètement distinctes (*mitrailleurs d'élite, détachements de flammenwerfer, bataillons de chasseurs cyclistes*), soit des *Stosstrupps* ou noyaux offensifs.

Quant aux formations d'élite de mitrailleurs (*Maschinengewehrscharfschützentrupps*), elles apparurent en 1916, lors des grandes attaques de Verdun. D'abord sections de 6 pièces, elles furent vite groupées par trois pour former des groupes de trois compagnies chacune. En 1917, c'étaient des *organes d'armée* rattachés aux régiments au moment du besoin et dont le nombre était encore en voie d'accroissement.

Les *Stosstrupps* avaient été d'abord des organes d'armée. Peu à peu, dans le but de maintenir dans les troupes, où il faiblissait, l'esprit de combativité et aussi dans un désir grandissant d'économie des forces, on en avait généralisé l'emploi. Des troupes d'assaut de corps d'armée et de divisions d'infanterie, destinées à des attaques à objectifs limités, on était descendu ensuite jusqu'à celles de régiment, de bataillon, de compagnie, en vue de petites opérations de secteur rentrant dans le cadre du plan défensif. Chaque unité dut, au détriment de la valeur générale de la troupe, posséder son noyau d'attaque.

Dans les régiments, il existait, en 1917, un *Stosstrupp* de 100 hommes environ, tirés du F. R. D. (Feld-Rekruten-Depot) de la division. Ces hommes, des très jeunes classes, jouissaient d'un régime de faveur (permissions exceptionnelles, nourriture meilleure). Ils comptaient dans les compagnies, montaient aux tranchées avec elles, mais restaient en arrière du P. C. du commandant de compagnie. L'ensemble de trois Stosstrupps régimentaires formait le *Stosstrupp divisionnaire*, sous les ordres d'un capitaine et distinct de la *Sturmkompagnie de division* (200 hommes), organe non autonome formé par prélèvement d'hommes choisis dans les régiments.

L'effectif du régiment d'infanterie était d'environ 100 officiers et 3.000 rationnaires. Ainsi, le 4e régiment de grenadiers de la Garde (Régiment Augusta) — dont des rapports de patrouilles sont insérés ici — avait, le 11 juillet 1917, à la veille de prendre part à l'offensive de Galicie, les effectifs suivants :

	Officiers	H. de troupe
	—	—
I. *Effectif rationnaire*....................	97	3.114
II. *Effectif de combat A* (c'est-à-dire l'effectif précédent moins l'état-major, les compagnies de mitrailleuses, le train et le service de santé régimentaire..	78	2.534
III. *Effectif de combat B* (moins 297 sous-officiers), soit pour la troupe........	»	2.237
IV. *Effectif de tranchées* (effectif de combat A, moins les officiers comp. med. détachés permanents et provisoires, employés divers, etc................	48	2.023

LA DIVISION

La division allemande de 1917 n'était plus celle de 1914. Ses deux brigades avaient disparu lors de la réorganisation à trois régiments de 1916 et elle possédait un seul état-major de brigade, analogue à celui de notre infanterie divisionnaire. Par contre, son artillerie et ses unités techniques avaient été singulièrement augmentées.

Unité de combat par excellence (Kampfeinheit), la division comprenait :

En *infanterie :* Trois régiments et un dépôt de recrues; éventuellement, une compagnie d'assaut (Sturmkompagnie) et une compagnie de chasseurs cyclistes.

En *artillerie :* Un régiment d'artillerie de campagne à 9 batteries (dont un tiers d'obusiers légers) et de l'artillerie à pied en proportion variable (formations auxquelles, pour être complet, il faudrait ajouter celles d'artillerie de combat rapproché : canons russes de montagne de 7 %m, batteries de 77 montées sur roues basses et les sections de canons-revolvers, de canons de 5 %m et de 6 %m sous tourelle cuirassée, de 2 %m automatiques destinés au tir contre avions volant bas en usage dans les secteurs); l'infanterie n'était pas encore dotée d'un canon d'accompagnement.

Comme *pionniers :* Un bataillon de pionniers, comprenant deux compagnies de pionniers, une compagnie de minenwerfers, une section de projecteurs, un équipage de ponts; une section téléphonique, deux ou trois sections de signaleurs de campagne.

En *cavalerie :* Un ou deux escadrons.

Et les divers services (parcs, convois, service de santé).

La 103e division d'infanterie en juin 1917

La 103e division avait été formée au camp de la Wartha, en mai 1915, par prélèvement du *32e régiment* (de la XIe région, Hesse-Electorale) sur la 22e division, du *71e* (de la XIe région, Thuringe) sur la 38e division et du *116e de réserve* (de la XVIIIe région, Grand-Duché de Hesse) sur la 25e division de réserve.

Elle avait participé, au cours de l'été 1915, à l'offensive de Lemberg contre les Busses et pris part, à la fin de la même année, à la campagne de Serbie.

Embarquée pour la France vers la fin d'avril 1916, elle avait séjourné en Champagne dans le secteur Prosnes-Prunay, puis elle avait pris part à Verdun, en juin-juillet, aux attaques sur le fort de Souville, où elle avait subi de très lourdes pertes.

Après un court séjour sur les Côtes-de-Meuse, elle avait tenu un secteur en Champagne, puis elle avait été engagée dans la Somme, entre Bouchavesnes et Saint-Pierre-Vaast (15 octobre-10 novembre); le 116e Réserve y avait été particulièrement éprouvé.

Revenue en Champagne, renforcée, placée à Verdun (Samoigneux) dans une situation défensive, elle avait été transportée sur l'Aisne à la fin de mai 1917. C'est dans cette période du 26 mai au 11-12 octobre que nous la trouvons tenant le secteur du *Chemin-des-Dames* (Malmaison, Les Bovettes, Panthéon, La Royère). Elle y fit surtout de la guerre de tranchées et ne participa aux attaques des 6 juin et 8 juillet que par des éléments engagés en soutien, n'éprouvant, par suite, dans cette période, que des pertes légères. Il en eut été autrement si elle s'était trouvée encore sur le Chemin-des-Dames lors de notre attaque victorieuse de la Malmaison (23 octobre 1917), dont ses rapports, dès septembre, trahissent l'approche et la crainte. Mais, par suite du hasard des relèves, elle avait passé ce secteur menacé, le 11 octobre, à la 14e division (Westphalienne), qui subit, le 23, des pertes dont elle ne se releva jamais complètement.

L'attitude de la 103e division aux combats auxquels elle avait pris part l'avait fait classer parmi les bonnes unités allemandes. Ses pertes avaient été relativement faibles jusqu'à l'été 1917. Ses effectifs avaient été progressivement rajeunis par retrait des classes les plus vieilles. Elle était considérée comme une division d'attaque par le commandement allemand.

Le *32e régiment* — dépôt à Meiningen — était un régiment prélevé sur une division purement prussienne, la 22e. Il en était de même du *71e régiment* — dépôt à Erfurt — tiré de la 38e I. D. Par tradition, comme dans tous les régiments prussiens qui ne sont ni « Grenadiers », ni « Fusiliers », les hommes de ces deux corps de troupe étaient des « Musketiere », dénomination datant de la guerre de Sept Ans. Le *116e régiment de réserve* — dépôt à Darmstadt — était un corps hessois. Il offrait cette particularité d'avoir son 3e bataillon constitué par le 3e bataillon du 85e Landwehr (du Sleswig-Holstein), ce qui explique la mention de patrouilles « *des III/L.85* » (du 3e bataillon du 85e Landwehr) ou « *der 10/L 85* » (de la 10e compagnie du 85e Landwehr), que l'on trouve dans des rapports de la 103e I. D. (notamment dans celui du 12 octobre 1917). Toutefois, le dépôt de ce bataillon était à Friedberg, en Hesse, et les hommes de renfort ne lui étaient plus, depuis longtemps, fournis par le Schleswig-Holstein. Les trois régiments étaient sous les ordres de l'état-major de la 205e brigade d'infanterie.

Les troupes de la 103e division, autres que l'infanterie, étaient :

Artillerie (sous les ordres de l' « Artillerie-Kommando 103 ») : le 205e régiment d'artillerie de campagne (9 batteries);

Pionniers et liaisons : Le 103e bataillon de pionniers, la 87e compagnie de réserve de pionniers, la 91e compagnie du 28e pionniers, la 103e compagnie de minenwerfers, la 205e section de projecteurs et le 103e détachement de téléphonistes.

Santé : La 103e compagnie sanitaire, les 361e et 362e hôpitaux de campagne, le 202e dépôt de chevaux malades.

Tactique de l'infanterie allemande au début de la guerre

Pour leur tactique des grandes unités, les Allemands avaient eu, en 1914, l'avantage de posséder une doctrine nette, basée sur l'offensive rapide, immédiate et en force des *colonnes de division.* Après avoir engagé avec prudence leurs éléments de pointe, ils entendaient réaliser des attaques brusques, violentes et par surprise, même si les renseignements étaient encore incomplets, et déployer au plus tôt des effectifs supérieurs à ceux de l'ennemi :

« Nous nous porterons en avant. — disait le général von Bernhardi, — avec une volonté telle que notre adversaire, quels que soient les projets qu'il ait pu former, sera soumis à la loi de notre initiative.... »

Ce parti-pris d'offensive, basé sur une volonté aveugle — et qui n'était pas particulier, d'ailleurs, à l'armée allemande — devait provoquer des mécomptes, notamment de graves erreurs de direction. Dans l'infanterie, suivant un schéma, scrupuleusement suivi en dépit des appels à l'initiative, le régiment allemand, à partir d'une distance de 4.000 mètres de l'ennemi, se conformait au modèle-type d'une marche d'approche, puis d'une progression de combat d'ailleurs l'une et l'autre rationnellement établies : passage direct de l'ordre de marche à l'*Entfallung* (déboîtement des compagnies en petites colonnes espacées), les pelotons marchant par le flanc des subdivisions et traversant sans hésiter les espaces découverts; constitution aussi prompte que possible (sous la protection d'une artillerie puissante et supérieure en nombre) d'une épaisse ligne de tirailleurs; ouverture du feu d'infanterie dense et puissant vers 1.200-1.000 mètres (« le plus sûr moyen de se débarrasser de son adversaire, c'est encore de le tuer »); bonds de pelotons, puis de « gruppen »; assaut à la baïonnette, que les Allemands n'aimaient guère, mais auquel précisément ils s'exerçaient beaucoup.

Malgré les défauts de ce cadre rigide, les Allemands étaient dans la bonne voie. Ils évitaient le mélange des unités par le dispositif en profondeur des compagnies de première ligne; ils avaient saisi l'importance du rôle au combat des officiers subalternes et chefs de « gruppen », ignoraient le flottement de nos sections, tenues de suivre des cheminements défilés, et, par la méthode d'*enveloppement*, exagérée jusqu'aux moindres unités, pouvaient espérer affaiblir et inquiéter les forces qu'ils attaquaient de front. Par contre, leurs lignes de tirailleurs se suivaient de trop près, elles n'étudiaient pas le terrain et occupaient sans utilité des espaces découverts qu'il suffisait de tenir sous le feu. Les réserves étaient souvent découvertes, massées et trop souvent voisines de la première ligne. Bel instrument de guerre, l'infanterie allemande ignorait aux distances rapprochées le vide du champ de bataille (Oede des Schlachtfeldes) et se complaisait aux éloges de ceux qui vantaient chez elle « ...des progrès tels que la manœuvre allemande était bien près de la perfection... ».

Telles furent, au début, avec leurs qualités et leurs défauts, les procédés de combat *offensif* de l'infanterie allemande.

Nous les connûmes à nos dépens jusqu'à la victoire de la Marne, qui contraignit nos adversaires à la guerre de tranchées, et même jusqu'à celle de l'Yser, qui la leur imposa d'une façon définitive. Les hostilités prirent une forme insoupçonnée et nouvelle. Les conditions de la surprise, indispensables aux attaques puissantes et brutales, furent *complètement modifiées.* La surprise stratégique n'était plus possible sur une ligne de tranchées allant de la mer du Nord à la Suisse, ayant des défenseurs renseignés par vingt sources et sachant se garder. La surprise tactique, en vue de la rupture du front, plus que jamais difficile par suite de l'accumulation obligée des moyens d'attaque et des procédés d'investigation du défenseur, était — on pouvait le croire — vouée à un échec.

En 1915, les Empires centraux cherchèrent vainement la solution sur le front oriental. L'usure de leurs forces leur faisait cependant, — en particulier pour l'Allemagne —, une obligation d'aboutir. On revint au front occidental. Pour des raisons géographiques et stratégiques auxquelles on a ajouté à juste titre l'attrait historique, les Allemands résolurent l'attaque du *saillant de Verdun.* Ils y appliquèrent l'effort échelonné de leurs masses successives.

Comment l'infanterie allemande attaqua-t-elle à Verdun?

Après la préparation d'artillerie, elle attaqua toujours par tranches avec objectifs successifs rapprochés, suivant un dispositif réglé avec prudence, qui se décomposait comme suit :

1° *L'artillerie* bouleversait nos tranchées, détruisait les obstacles et mettait nos défenseurs hors d'état de se servir de leurs armes;

2° *Une reconnaissance*, conduite par un officier, était lancée sur l'objectif avec mission de constater si l'artillerie y avait obtenu les résultats désirés. La ligne d'attaque ne devait sortir que si cette reconnaissance avait fourni des renseignements satisfaisants;

3° *La ligne d'attaque* recevait toujours un objectif exactement défini et délimité : *largeur* égale au front d'attaque; profondeur ne dépassant pas deux lignes de tranchées.

Elle se composait de *vagues* (Wellen), habituellement *trois*, se succédant, à vingt ou trente pas de distance, dans l'ordre suivant :

Première vague, dite d'*assaut* (Sturmwelle), un ou deux Gruppen par Zug, avec des pionniers et des grenadiers, en tirailleurs à larges intervalles, conduisait l'assaut sans arrêt;

Deuxième vague, dite de *nettoyage* (Aufräumungswelle), protégeait les derrières et les flancs de la première, nettoyait les tranchées, éliminait les îlots de résistance;

Troisième vague, dite de *renfort* (*Verstärkungswelle*), comblait les vides, apportait un renfort de munitions et de matériel.

. Des Flammenwerfer précédaient parfois la première vague. Le front mouvant de l'attaque était jalonné de fusées qui indiquaient à l'artillerie la marche de son infanterie.

En résumé, dans les attaques de 1916, même à Verdun, au début, les Allemands étaient déjà loin de la ruée de 1914. Ils agissaient au maximum avec l'artillerie, au minimum avec l'infanterie. Celle-ci ne voulait plus avancer *qu'à coup sûr.* On espérait, avec l'échelonnement en profondeur, *ménager* les forces, rendre l'effort continu, faciliter le commandement. Les sous-ordres n'avaient pas le droit de dépasser la position assignée. Des reconnaissances, franchissant la ligne, échappaient seules à cette *limitation stricte.*

« Successivement, à Verdun, la poussée méthodique, la patience, l'obstination, l'exaspération réussirent à nous mettre en péril. Puis, l'entreprise traîna jusqu'au jour où notre contre-offensive en fit définitivement justice ».

A partir de décembre 1916, la *défensive* prit, chez les Allemands, la place de l'offensive. Ce fut la première trace, la manifestation initiale, du déclin final.

Tactique de l'infanterie en 1917

En 1917, les Allemands ne tentèrent plus, sur notre front, aucune opération de grand style. Par contre, ils subirent une série de coups très durs qu'ils s'efforcèrent de parer par une doctrine défensive basée sur trois principes :

1° Organisation de la défense *en profondeur et en échiquier;*

2° *Activité* de la défense;

3° *Réduction* au minimum *des pertes* en hommes, munitions et matériel.

Ces principes découlaient de la dure expérience de la Somme et de l'offensive franco-anglaise du printemps de 1917. L'annexe du 11 juin 1917 à la « Conduite de la Bataille défensive » du G. Q. G. allemand parut à peu près à l'époque des comptes rendus de cette étude. Elle recommandait :

Au chapitre I (*Organisation des positions*), la multiplication en profondeur et le camouflage des positions, l'interdiction des abris profonds en première ligne et des tunnels « qui ne sont que des pièges à hommes », l'exclusion des localités dans les lignes de défense. On ne luttera plus pour la première ligne, mais pour user l'ennemi et s'efforcer de conserver la première position. Les tranchées conquises par l'adversaire devinrent « le champ d'entonnoirs ». On ne leur prêta plus aucune valeur dans les communiqués.

Au chapitre II (*Occupation des positions*), une densité faible en première ligne, l'échelonnement en échiquier des mitrailleuses, et l'établissement de garnisons de sûreté aux limites des secteurs.

Au chapitre III (*Conduite du combat*), une défensive active et cependant restreinte, dans une certaine mesure, par le souci de ménager hommes et munitions. Les tranchées, écrasées par l'artillerie française, ne furent plus considérées que comme un abri des périodes calmes. On devait installer l'infanterie soit dans les zones non battues, soit dans les entonnoirs qui précèdent la position; rechercher le combat en terrain découvert.

Le règlement allemand, qui suivit, du 15 août 1917, « sur l'organisation des positions », supprima les lignes, adopta l'expression de *zone de combat* et maintenant plus que jamais l'échelonnement en profondeur, multipliant les résistances et favorisant les contre-attaques par des troupes réservées.

Nous déjouâmes les contre-attaques ennemies par l'adoption (La Malmaison, 23 octobre), d'une tactique offensive à objectif limité, l'emploi de barrages profonds et formidables, et la recherche des réserves ennemies par nos forces aériennes. Les contre-attaques allemandes ne purent plus aboutir.

Les Allemands revinrent alors à la *forte occupation de la première ligne*, afin qu'elle puisse repousser par ses moyens les attaques françaises et conserver les entonnoirs. L'emploi systématique de la contre-attaque fut écarté. On concentra l'infanterie *en avant* aux dépens de l'échelonnement en profondeur, puisque la manœuvre défensive-offensive dans un terrain devenu un enfer n'était plus possible pour les troupes réservées. On peut dire qu'un certain désarroi régna à partir de l'été 1917 chez le commandement allemand à la recherche de la formule qui lui permettrait de tenir tête à la pression alliée.

Sur le *Chemin-des-Dames*, où nous approchons du succès de La Malmaison (23 octobre 1917), à la veille de cette attaque dont le souci perce dès septembre dans nos comptes rendus de la 103e I. D., le commandement allemand a voulu tenir, tenir coûte que coûte sur ses premières lignes, et cette volonté s'est retrouvée, après la bataille, dans tous les ordres capturés. Décision logique d'ailleurs, comme l'avait été l'année précédente celle de tenir coûte que coûte les hauteurs de la rive gauche de la Meuse à Verdun. En effet, sur le Chemin-des-Dames comme sur la rive gauche de la Meuse (Mort-Homme, cote 304), la première position allemande se confondait avec la ligne des observatoires : La Gloriette, Ormes de Vaudesson et de Chavignon, Epine de Challerange; et, comme sur la rive gauche de la Meuse (ruisseau des Forges), la rivière l'Ailette, en arrière de la position constituait un obstacle rendant difficile l'entrée en action de masses importantes partant de la deuxième position. Le dispositif adopté fut donc : en première ligne, des *nids de mitrailleuses* avec des soutiens d'infanterie; en deuxième ligne, des *points d'appui* avec des compagnies entières et même des bataillons, réserves immédiates destinées à mener les contre-attaques en vue de reprendre la première ligne. Toutes ces précautions furent inutiles, car les deux lignes entières fut emportées par nous.

*
* *

Les documents de la 103e division

Les rapports journaliers de la 103e division et les comptes rendus de patrouilles qu'ils renferment sont clairs et concis. Aucune phrase ne pourrait en être retirée sans dommage, qualité essentielle d'un rapport militaire où il ne s'agit pas de faire de la littérature, mais de dire des choses substantielles et de signaler *des faits*. Le recoupement des renseignements est fait par l'état-major de la division de telle manière qu'il constitue déjà un ensemble coordonné d'une certaine valeur. Mais on n'y ajoute ni conclusions, ni hypothèses; on laisse les indications parler d'elles-mêmes, en se bornant à mettre en relief les probabilités certaines qui découlent de l'évidence des faits. Les croquis sont simples et nets, ils se limitent aux choses reconnues et vues. L'ensemble est à la fois sobre et consciencieux.

DOCUMENTS ET ORDRES
D'INFANTERIE

Comptes rendus journaliers de la 103e Division d'Infanterie allemande

Région de Soissons, Vailly, Chemin des Dames. Juin-Octobre 1917, avec cartes et croquis.

N. B. — Se reporter à la carte d'État-Major au 50.000e et au plan directeur au 20.000e inclus dans la Pochette à la fin du volume.

OBSERVATIONS PRÉLIMINAIRES SUR LES ORIGINAUX DE DOCUMENTS

Sauf indication contraire donnée dans les notes pour certains documents, la majeure partie des originaux est du format 21/33 centimètres. En raison de l'usage très répandu de la machine à écrire dans l'armée allemande — jusqu'aux états-majors de régiment — ils sont dactylographiés et reproduits par un procédé autographique ou polycopiés (voir les *fac-similés*).

Le souci de l'économie de place et de papier se manifeste par l'adoption presque constante du plus petit interligne, la réduction des marges et des blancs, et la suppression de la demi-feuille inutilisée chaque fois que la longueur du texte n'exige pas l'emploi d'une feuille double de quatre pages.

En aucun cas nous n'avons cherché à simplifier les textes au point de vue de l'expression ou du vocabulaire. Nous donnons, en principe, le document *in extenso*, en respectant les particularités morphologiques ou syntaxiques de leur rédaction.

La seule modification que nous ayons introduite, le cas échéant, dans les comptes rendus de la 103e division, a été de renoncer à l'énumération des coordonnées de *tous* les points repérés par les services d'observation afin d'éviter de fastidieuses séries de chiffres n'ayant d'intérêt qu'avec le plan directeur allemand correspondant sous les yeux.

I. — COMPTE RENDU DU 26 JUIN 1917

(103e D. I.)

Nachrichtensammelstelle 103. I. D. — Div. St. Qu. [1], den 26. 6. 17.

Tagesbericht

vom 25. 6. 6 Uhr vorm. bis 26. 6. 6 Uhr vorm.

Eigene Tætigkeit

Infanterie : Eine Patrouille der 9./71 fand 4.15 vorm. den Steinbruch 148 wiederum frei vom Gegner. Im Steinbruch befinden sich ausser alten deutschen Stollenanlagen 2 frisch geschanzte Postenstände, bei denen einige franz. Handgranaten lagen. Zwei davon wurden mitgebracht. Die hohen Erdaufwürfe südl. des Steinbruchs waren ebenfalls nicht besetzt. Rühren die Erdaufwürfe von neuem Grabenbau her ? Steht der Steinbruch nach Südosten oder Südwesten hin durch Graben mit der vorderen feindl. Linie in Verbindung ?

Je eine Patrouille der 2. und 4. Komp. I. R. 32 klärten im Vorgelände ihrer Komp.-Abschnitte bis zum feindl. Drahtverhau auf. Vom Gegner war nichts zu bemerken [2]. Auch die Schanztätigkeit ruhte vor G-West von 12-3 Uhr nachts. Das tote Grabenstück in 1146/21 war nicht besetzt.

---

(1) *Div. St. Qu.* = Divisionsstabsquartier = quartier général de la division. Formule destinée à masquer l'emplacement réel de la division, au cas où le papier tomberait aux mains de l'ennemi.

(2) Les renseignements négatifs sont fréquents dans les rapports allemands. Leur importance est extrême, puisqu'ils permettent, par une sorte d'élimination, de délimiter les zones à renseignements *positifs*, celles où se déploie une certaine activité de l'ennemi.

Das feindl. Hindernis nördl. 261 besteht aus 2-3 Reihen Schnelldraht, verstärkt durch eingeflochtenen Stacheldraht.

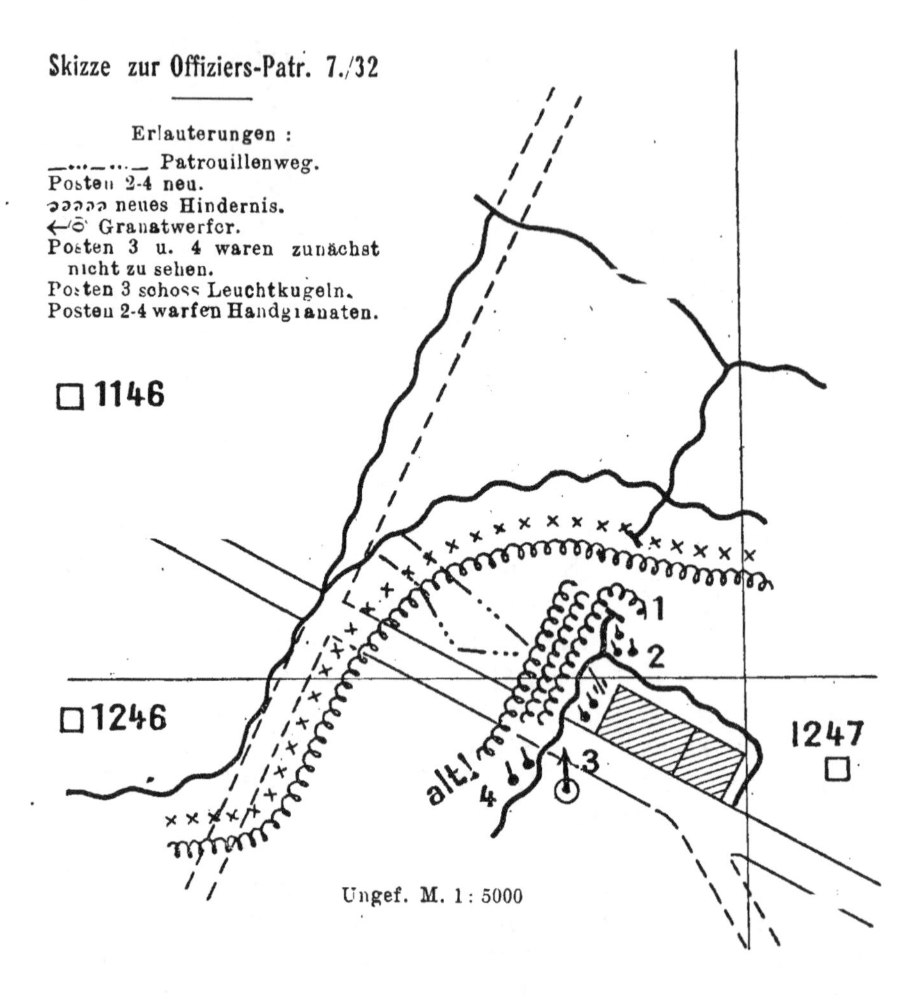

Eine Patrouille der 7./32, geführt von Lt. Frankfurth, näherte sich von N. W. kommend (s. Skizze) der bis Tr. P. 911 vorstossenden feindl. Sappe. Beim Versuch, das Hindernis zu durchkriechen, wurde die Patrouille von franz. Posten bemerkt, Handgranaten wurden geworfen, M. G. — und Granatenwerferfeuer setzte ein. Der Versuch einiger Franzosen, unserer Patrouille den Rückweg abzuschneiden, wurde durch bereitgestelltes leichtes M. G. und durch Granatenwerfer verhindert (1). Feststellungen : Die feindl. Sappe ist nach Westen hin ausser durch ein ziemlich zerschossenes altes Hindernis durch zwei Reihen glatten Schnelldraht geschützt und nachts stark besetzt. Die Patrouille vermutet 3 Doppelposten mit einem Granatwerfer.

Artillerie : Zerstörungsfeuer gegen Battrn. 1444/24 Mitte (Fliegerbeobachtung), 1446/16 *d* (Ballonbeobachtung). Ausser mehreren Kartuschbränden wurde während der Beschiessung der Battr. 1446 *d* starke Explosionen beobachtet. Zerstörungsfeuer gegen feindl. Stellungsteile : Annäherungsgraben bei 238 und bei Colomb-Fe., vorderer Graben hart östl. und westl. 253, Annäherungsgraben nach Sandgrube 253, Teile der vorderen feindl. Linie vor linker Divisionsgrenze. Störungsfeuer erfolgte gegen Battrn. 1446/16 *d*, 1444/24 Mitte, 1546/17 *a b* in Feuerüberfällen, ferner gegen Colomb-Fe., Bibersteinhöhle, Lager 344, Toly-Schlucht, Hamerethöhle, Rote Häuser, Vailly, Aisnebrücken und Strasse Presles-Brenelle durch Einzelschüsse. Nächtliches Störungsfeuer gegen Arbeitstätigkeit in den feindl. Inf.-Stellungen, Zufahrtswege nach Artilleriestellungen und Infanteriesammelplätze. Feuerüberfälle auf Vailly, Chavonne und Brücken südl. davon. Gasschiessen zu besondern Zwecken. Schutzfeuer für Ifl.

Beobachtungen und Erkundungen

Abschnitt E : Während der Nacht Schanzen und Drahtziehen an den feindl. Stellungen hart westl. Strasse Vaurains-Fe. — Colomb-Fe, nordwestl. 238.

---

(1) On remarquera dans le récit de patrouille allemande, que *les Français se gardent bien.* Leur vigilance n'est pas mise en défaut, bien que la patrouille ennemie, commandée par un officier, ait dû prendre les précautions voulues. Ils aperçoivent cette dernière; ils lui lancent des grenades à main; les mitrailleuses et les V. B. ouvrent le feu. Quelques-uns se détachent pour couper la route aux Allemands.... Ils ne réussissent pas; mais au moins *ils tentent l'effort.* Ces détails révèlent, en face du 32e d'infanterie prussienne, une troupe française vigilante et instruite, qui sait se garder et ne s'en laisse pas du tout imposer par la tentative de l'ennemi.

Der Graben nördl. Toly-Fe. zeigt wiederum starke Spuren nächtlicher Schanzarbeit. — Grabenvertiefung und Ausbau der beim "*l*" von Toly begonnenen Sappe. Die Sappe ist tagsüber mit Pfählen und Strauchwerk überdeckt. In den Gräben hart nördl. Ormehöhe tagsüber häufig Bewegung (vermutlich als Wohngräben benützt). Durch gelbe Leuchtkugeln mit 6-7-fachen Splittersternen forderte der Gegner sein Artl.-Feuer. — Feuerüberfälle — gegen E-West und linken Flügel 39 an.

Abschnitt F :

Auf Strasse Brenelle-Presles tagsüber fast dauernd Wagen- und Autoverkehr, am stärksten gegen Abend.

Abschnitt G : Keine Wahrnehmungsergebnisse.

Artillerie : Zwischen 6 und 8 Uhr vorm. Einzelverkehr zwischen Hameret-Fe. und Gerlaux-Fe. 8.30 vorm. fuhren 2 Personenautos von Vailly nach Aizy und kehrten 9.20 vorm. wieder zurück. 12.40 und 2.30 nachm. fuhr je 1 Sanitätsauto von Aizy nach Vailly. Hart westl. Tr. P. 130 frische Erdaufwürfe. Bei 363 wiederholt Bewegungen. 6.30-7 Uhr nachm. mehrfach Autos auf Strasse Sancy-Celles. Lebhafter Auto- und Wagenverkehr nur auf Strasse Presles-Brenelle.

Ifl. : Bei ungenügender Sicht keine Erkundungsergebnisse.

Ballonzentrale : Verkehr lebhaft auf Strasse Presles-Brenelle. Einzelne Kolonnen oder Wagen auf den Strassen : Vieil-Arcy, Verneuil-Bourg, Ciry-Condé, Longueval-Bourg, Soissons-Pont-Rouge. Eisenbahn- und Kleinbahnverkehr normal. 8.20 vorm. Lagerfeuer in 1844. 3 grosse Schuppen in 2346/4 *a b*. 2.30 nachm. Kartuschbrände und Explosionen in Battr.-Stellung 1446/16 *d* bei Beschiessung durch Mörser der 103. I. D.

Ballonzug 47 : Fehlerfreie Lichtverbindung mit Blinkstelle " Dresden " der 103. I. D.

Artl.-Messtrupp 42 (1) : Auf Strasse Crouy-le Pont-Rouge zeitweise lebhafter Lastautoverkehr. 11.27 vorm. feindl. Flieger nach Luftkampf bei Montarcene abgestürzt.

Grufl. 13 : Neue Grabenbauten bei Mennejean-Fe. Neues Hindernis vor Graben 326-432.

Auf Meldung der 46. I. D. 7.30 abends, dass feindl. Angriff bevorstehe, wurden in den Abendstunden vom 24.6. 31 Ifl., Afl.-, Jagd- und Bombenflugzeuge an die Front der 37. R. D. gesandt. Kagohl beteiligte sich mit 9 Flugzeugen, die 2000 Kg Bomben warfen und mit 2350 Schuss Erdziele bekämpften. 22 Flugzeuge eigener Verbände beteiligten sich mit 152 Kg Bomben und 4160 M.-G. Schuss auf feindl. Gräben und Schluchten.

Feindliche Tætigkeit

Infanterie : Am Tage nur ganz selten Verkehr oder Bewegung im fdl. Inf. Raum bemerkbar. Die lebhafte nächtliche Schanztätigkeit wird fortgesetzt. Eine feindl. Patrouille an Strasse nach Vaurains-Fe. blieb weit entfernt von unserm Hindernis.

Artillerie : Art.-Tätigkeit im ganzen lebhafter als in den letzten Tagen unterbrochen von einer etwa dreistündigen Ruhe während der Mittagszeit. Die Inf.-Stellungen erhielten 600-700 Schuss meist leichter Kaliber in kurzen Ueberfällen oder im Einzelfeuer. Feuer mittl. und schw. Kal. lag zeitweise auf Fort Malmaison und auf Höhe 191,3 (G-Ost). Zwischen 7 Uhr nachm. und Mitternacht stärkeres Feuer auf die Battr.-Zone in der Umgebung von Urcel. Unter den etwa 2000 Schuss mittleren Kal. waren 600-700 Gasgranaten. Von eigenen Battr.-Stellungen wurde nur

---

(1) *Section de repérage d'artillerie n° 42* (Messtrupp); c'est une section de repérage aux lueurs et au son. Les Allemands avaient organisé ces sections avec soin. Elles doublaient les observatoires surveillant la première ligne d'infanterie ennemie et complétaient l'observation aérienne : avions et ballons.

5./205 betroffen. Nächtliches Feuer gegen K-Gräben schwach. Einige Gasgeschosse in F-West und auf Steinbrüche an linker Divisionsgrenze.

Die Gasgranaten explodierten mit lautem Knall. Das Gas war von süsslichem bisher unbekanntem Geschmack. Neue Gasgeschossart vermutet. Es ist zu melden, an welchen Stellen etwa Blindgänger aufgefunden wurden (1).

Feuernd erkannte Batterien :

Vom Ballon : 1646/10 *c*, 1645/5 *a b*...
Vom Messtrupp 36 : 1647 *f*, 1646/10 *c*...

Luftaufklärung : Fliegertätigkeit morgens und gegen Abend lebhaft. 11 Fesselballone in Sicht, 3 davon vor der Gruppenfront.

Nachbardivisionen

Rechts : Mässiges feindl. Störungsfeuer, zeitweise unterbrochen durch stärkere Feuerüberfälle gegen Inf.-Stellungen, Schluchten und Teile des Hintergeländes. Von 7.30 bis 9 Uhr nachm. wurde die Vaudessonhöhle mit etwa 200 Schuss schw. Kal. belegt. (Fliegerbeobachtung). Nächtliche Schanztätigkeit vor Füs. Regt. 39 (2).

Links : Dauerndes starkes Artl.-Feuer schwerer und mittl. Kaliber auf eroberte Gräben, Battr.-Stellungen und Hintergelände. Battr.-Stellungen wurden abends

---

(1) De nouveaux *obus à gaz*, tirés par nos pièces, attirent l'attention de l'ennemi. Quels sont ces obus, explosant très fort, dont le gaz offre un goût sucré *jusqu'à présent inconnu* et tirés suivant une méthode de tir nouvelle? Il importe de le savoir au plus tôt. On devra donc faire connaître à quelles places des obus trouvés, non explosés, auront été ramassés.....

(1) Les régiments de *Fusiliers* étaient tous des régiments prussiens, et les autres régiments possèdant seulement des bataillons de *Fusiliers* étaient également prussiens (Ex. : les régiments de la Garde). On peut donc dire que les *Fusiliers* n'existaient que dans les régiments prussiens. — Le *régiment de Fusiliers n° 39*, dont il est question ici, appartenait à la 50e division (Düsseldorf), et la présence de ce corps près de la 103e division s'explique par ce fait qu'effectivement la 50e division a tenu un secteur du Chemin-des-Dames, du 1er mai au 20 juillet 1917.

mit Gas beschossen. Die in der Nacht zum 25. vergasten Batterienester bei Rote Häuser und Folemprise-Fe. haben bis zum Mittag des 25. 6. nicht geschossen.

Aus den Aussagen der am 22. 6. östl. und westl. Royère-Fe. eingebrachten Gefangenen 2 Offz. 187 Mann der I. R. 297 u. 359 der 129. I. D :

Ablösung der Division wird zwischen 3. und 5. Juli erwartet. Als für die Ablösung in Betracht kommend wurde 63. I. D. genannt.

Der bevorstehende Angriff war den Franzosen bekannt, vermutlich durch Abhörapparate d. h. Mikrophone, vermöge derer die Gespräche in den Schützengräben belauscht werden können *(écouteurs)*. Diese Apparate sollen sich in fast allen Abschnitten neben den Apparaten zum Abhören der Telefongespräche *(amplificateurs)* befinden. Näheres über Einbau und Leistungsfähigkeit der *écouteurs* war bisher nicht zu ermitteln.

Auf den Missbrauch des Fernsprechers in vorderer Linie kann nicht oft genug hingewiesen werden.

Bedeutung der feindl. Leuchtzeichen bis 22. 6. :
Weiss mit 3 Sternen : Sperrfeueranforderung,
Einfach rot : Feuervorverlegen,
» grün : Gaswarnung.

Vom Messtrupp 42 erkannte feindl. Battr.
1339 *f*, 1539 *f*...

V. s. d. D.

BECKMANN

Major im Generalstabe (1).

(1) Ce major Beckmann est le chef d'état-major de la 103e division. Mais on remarquera qu'il signe le rapport quotidien de la D. I. comme *major du Grand Etat-Major* (prussien). Dès le 2 août 1914, le service de l'état-major a fonctionné avec le personnel du Grand Etat-Major qui lui était affecté, et les officiers de ce service y sont restés du commencement à la fin de la guerre. Ils ont avancé sur place *dans leur service* d'état-major. On ne cite pas une exception à cette règle méditée et voulue.

II. — COMPTE RENDU DU 28 JUIN 1917

(103ᵉ D. I.)

Nachrichtensammelstelle
103. I. D.

Div. St. Qu., den 28. 6. 17.

Tagesbericht

vom 27. 6. 6 Uhr vorm. bis 28. 6. 6 Uhr. vorm.

Eigene Tætigkeit

Infanterie : Eine Patrouille der 3./R. 116 verfolgte eine feindl. Patrouille bis vor Steinbruch 148. Der Steinbruch schien stärker besetzt. Es wurden von dort aus Leuchtkugeln geschossen und Wurfgranaten gegen Abschnitt E abgefeuert. Aufblitzen von Taschenlampen und Lichtschein in einem der Stollen war zu bemerken. Nach dem Rückzug der feindl. Patrouille hörten vorher wahrgenommene Geräusche — Drahtklirren und Pfählecinschlagen — auf.

Nach verspätet eingelaufener Meldung fand schon in der Nacht zum 26. 6. eine Patrouille des III./71 den Steinbruch 148 durch starke Postenkette gesichert. Der Eingang war frei gelassen offenbar um eine Falle zu stellen. Als unsre Patrouille nach diesen Feststellungen umkehrte, versuchte der Feind vergebens ihr den Weg abzuschneiden.

Erkundungspatrouille der 4./32 erkundete auftragsgemäss das Hindernis zwischen 253 und Planquadratzahl 1246. Es besteht aus gut verflochtenem Schnell- und Stacheldraht und ist während der letzten Nächte bis auf 8 m. verbreitert worden. Das tote Grabenstück nordwestl. Planquadratzahl 1246 war frei vom Gegner. Im vorderen feindl. Graben herrschte

Ruhe, auch Leuchtkugeln wurden nicht abgeschossen. In der Umgebung von Jouy waren Schanzgeräusche und Wagengerassel zu hören (zwischen 2-3 Uhr vorm.).

Der Gefr. Müller und die Musketiere (1) Kirst, Luck und Mayer der 2/32 machten auf einer freiwilligen, ausgezeichnet durchgeführten Tagespatrouille wertvolle Erkundungen. Die Patrouille verbarg sich vor Tagesaufbruch in Granatlöchern vor dem 1. feindl. Graben nördl. Wegespinne 266. 4.30 vorm. kamen 5 Franzosen aus dem Graben und verdeckten die frischen Erdaufwürfe vor der Ostseite des früheren Kabelgrabens mit Gras. Darauf herrschte während des ganzen Tages Ruhe in der vorderen feindl. Linie. Posten waren anscheinend nicht angestellt. Der Drahtverhau rechts und links des Weges Tr. P. 962 — Blaupunkt 266 ist nur sehr schwach. 8.05 nachm. schoss man Revolverkanone, die 80 m. südl. des Grabens bei H aufgestellt war (Pl. Qu. 1246/12 a) nach F-West. 8.30 nachm. feuerten 2 M. G. aus der Sandgrube östl. davon nach unserem Ifl. 11 Uhr nachm. zogen 2 Posten unmittelbar westl. des Weges 962-266 auf, vermutlich Sicherungsposten für die bald danach beginnende Schanztätigkeit. 11.30 nachm. kehrten die Erkunder der 2./32, ohne vom Gegner bemerkt zu werden, zurück.

Eine Patrouille der 2./71 versuchte 6.30 vorm., die vorgeschobenen feindl. Posten in 1244/11 a auszuheben. Der Postenstand und auch die dahinter liegenden Unterstände waren verlassen — wohl eine Folge des gut liegenden Zerstörungsfeuers unserer Artillerie vom Tage vorher. Die Patrouille erhielt starkes M. G.-Feuer von der Grabenecke am gegenüberliegenden Hang und kehrte ohne Verluste zurück.

Ein planmässig und wie der Erfolg zeigt, ausgezeichnet vorbereitetes und mit Schneid durchgeführtes Stossunternehmen des R. I. R. 116 gegen die Feldwache

(1) Par tradition, dans les régiments prussiens qui ne sont ni « Grenadiere » ni « Fusiliere », les hommes s'appellent « Musketiere ». Le 32e régiment d'infanterie (prussienne) et le 71e régiment d'infanterie (prussienne) étaient dans ce cas.

in Sandgrube bei 253 brachte 5 Gefangene und 2 leichte M. G. als Beute. Der Rest der Feldwache, etwa 20 Mann, wurden niedergemacht. 4 Gefangene gehören zu I. R. 158, einer davon zu Jäger-Batl. 31. Weitere Anwesenheit der 43. franz. I. D. dadurch bestätigt. Eigene Verluste : 2 Mann leicht verwundet, bleiben bei der Truppe. Genauere Meldung über Verlauf des Unternehmens folgt (1).

Artillerie : Zerstörungsfeuer richtete sich gegen Battr. 1444/23 *b* (Fliegerbeobachtung), gegen feindl. Stellungen zwischen 331-248, 2. franz. Linie zwischen 253-261, Revolverkanone in 1246/22 *a* und gegen Sandgruben bei 253. In Feuerüberfällen beschossene feindl. Battrn 1346/25 *d*, 1546/5 *c d*, 1444/24 Mitte. Störungsfeuer am Tage durch Feuerüberfälle oder Einzelschüsse gegen Bewegungen und Verkehr im feindl. Inf.-Raum, gegen Bibersteinhöhle, Lager 552, Jouy, Wegekreuze, Aisnebrücken, Strassen Vailly-Hamerethöhle und Presles-Brenelle. Nächtliches Störungsschiessen ausser gegen Schanztätigkeit gegen folgende Ziele · Colomb-Fe., Lager südöstl. 344, Hamerethöhlen, Toly-Schlucht, Aizy, Lager westl. 256, Vailly, Ormehöhe, Strasse Presles-Brenelle, Rote Häuser und Zufahrtswege nach den Stellungen.

Beobachtungen und Erkundungen

Abschnitt E : Starke nächtliche Schanztätigkeit südl. und östl, Steinbruch 148. Hindernisbau bei Colomb-Fe. Die feindl. Stellung bei 236 ist durch eigenes Artl.-Feuer vollständig eingeebnet. Wiederherstellungsarbeiten noch nicht aufgenommen. Von dem früher dort lebhaften Verkehr war seit Tagen nichts mehr zu beobachten. Die dauernd zu beobachtenden Rauchfahnen bei Bibersteinhöhle weisen erneut auf Belegung der Höhle,

(1) « Le reste du petit poste, environ 20 hommes, *a été anéanti* ». Le fait serait à vérifier au moyen de nos propres archives. Il semble anormal que vingt Français aient pu être massacrés et cinq faits prisonniers dans une attaque où les Allemands n'auraient eu eux-mêmes que deux hommes légèrement blessés, « qui sont restés dans le rang ». On doit se tenir en garde contre les exagérations tendancieuses des rapports allemands.

bezw. Vorhandensein von Küchen hin. Rege Tätigkeit auf Flugplatz Sermoise. Bei schlechter Sicht kein auffallender Verkehr im Hintergelände feststellbar.

Abschnitt F. : Frische Erdaufwürfe an den Gräben der südl. Sandgrube bei 253. Der Bau von einem Pfahldrahthindernis in 1245/10 hat begonnen. Grabenkanone in 1244/15 d feuernd erkannt. Hart nordwestl. 350 mehrmals Franzosen mit Stollenbrettern von Jouy kommend beobachtet.

Abschnitt G : M. G. im Graben hart nördl. Hameret-Fe. feuerte auf Ill. Bei Beschiessen durch eigene Artl. flüchteten 2 Franzosen nach Süden. Standort einer Revolverkanone 200-250 m. nördl. 266 vermutet.

Artillerie : Rauchfahnen bei Bibersteinhöhle bestätigt. Grabenkanone 150 m. nordwestl. 256 bestätigt. Schussrichtung F.-West. Nördlich 238 lag Stollenholz auf Deckung. Einzelverkehr und Bewegungen am Waldrande bei 344 und südl. davon wie gewöhnlich. Lager in Schlucht südöstl. 344 vermutlich noch belegt. Das Hindernis bei 344 ist ausgebessert. Die alten deutschen Unterstände 50-60 m. westl. Tr. P. 719 scheinen benutzt zu werden. Die Wegmasken von 457 bis Tr. P. 606 (Strasse Aizy-Vailly) sind ausgebessert und verdichtet. 7 Uhr nachm. erschienen wiederum 4 Mann in dunkelblauen oder schwarzen Uniformen mit der Schnellfeuerkanone bei Höhle 1246/22 Mitte. Auf sofort einsetzendes Art.-Feuer hin liessen sie die Kanone stehen und flüchteten in die Höhle. Am Eingang der Höhle wurde vor Eröffnung unseres Feuers ebenfalls eine Gruppe Leute in dunkelblauen bis schwarz Uniformen beobachtet. (Meldung von Lt. Morgenstern 1./b. 11.)

Ballonzentrale : Mässiger Verkehr auf den Strassen Bourg-Vendresse, Bourg-Verneuil, Vieil-Arcy, Ostel-Vailly, Cys-Chavonne. 8.50 vorm. 100 m. lange Kolonne von Fussgängern von Chavonne nach Pont-Arcy unterwegs.

Grufl. 13 : Kleinbahn Vailly-Rochefort-Fe. anscheinend fertiggestellt. In 1744/21-22 (westl. Vailly) zahlreiche Fahrzeuge und Material. In 1739/5 und 1740/1 wird Lager vermutet. In 2032/1-3 (östl. Soissons) sind 2 Brücken abgebrochen. In Schlucht westl. Colomb-Fe. (1343) wurde durch Ifl. Bewegung festgestellt.

Ifl. : Nichts auffallendes beim Gegner. Inf. vorderster Linie legte Tücher aus. Gefechtsstände blinkten.

Feindliche Tætigkeit

Infanterie.: Seit 2-3 Tagen hat der Gegner begonnen, Teile unserer Stellung mit Grabenkanonen zu beschiessen. Die sehr beweglichen Geschütze erscheinen entweder am Rande einer Schlucht oder bei einer Höhle, führen kurze Feuerüberfälle aus und werden unmittelbar danach wieder in Deckung gebracht. Im übrigen Verhalten der feindl. Inf. ist keine Veränderung eingetreten.

Artillerie : Die feindl. Battrn. feuerten wieder lebhafter als am Tage vorher. Auf eigenen Inf.-Raum kamen etwa 800 Schuss, meist leichten Kalibers. Am Tage wurde Abschnitt E, während der Nacht Abschnitt G, am stärksten betroffen. Der Gegner schoss meistens in kurzen Ueberfällen; häufig Schrapnells. Erwiderung auf eigenes Zerstörungsfeuer gegen Sandgrube bei 253 war nur schwach. Gegen Hintergelände bei Urcel und Höhe südwestl. Chavignon nachm. und abends Störungsfeuer mittl. Kal. (200-300 Schuss). Mehrfach schwere Schüsse gegen Höhe 193. Während der Nacht gewöhnliches Störungsfeuer durch Einzelschüsse gegen Zufahrtswege und Kanalgelände. Unter den feindl. Geschossen mittl. Kal. wurde etwa 1/3 Blindgänger beobachtet. (Messtrupp 42 meldet unter 100 12 cm. Granaten 70 Blindgänger gegen Pl. Qu. 750 (1).

Feuernd erkannte feindl. Batterien.

Vom Ballon : 1645/5 *b*, 1647/20 *a c*...
Vom Messtrupp 42 : 1541/10 (Neu), 1439 *f*...

---

(1) L'ensemble des renseignements de la 103e D. I., pour cette journée du 27-6 au 28-6-1917, fait ressortir l'*activité* française, le renforcement de ses effectifs de première ligne, la *vigilance* de ses postes qui n'est pas mise en défaut. Elle permet de se rendre compte aussi de l'*activité de l'artillerie* française (il y aurait eu 70 obus de 120 non explosés, d'après la section de repérage allemande, vers Pl. Qu. 750).

Nachrichtensammelstelle 103. J.D. Div.St.Qu., den 4. 7. 17.

I

T a g e s b e r i c h t.

vom 3.7. 6 Uhr vorm. bis 4.7. 6 Uhr vorm.

Eigene Tätigkeit.

Infanterie: Eine Aufklärungspatrouille der 12./32 näherte sich in der Nacht zum 3. 7. 2 Uhr vorm. dem Steinbruch 148 auf etwa 70 m und legte sich dort auf Lauer. Weder im Steinbruch noch in seiner unmittelbaren Umgebung waren Geräusche zu hören, die auf Anwesenheit des Gegners hindeuteten. Hindernis wurde nicht bemerkt. (Frühere Patrouillen meldeten wiederholt Schnalldrahthindernis nördl. des Steinbruchs). Als einer unsrer Leute sich erhob, um seine verlorene Handgranate zu suchen, setzte plötzlich von der linken Flanke her Gewehrfeuer ein, nach und nach aus etwa 25 - 30 Gewehren, ausserdem 4 Salven (je 5 - 9 Stück) Gewehrgranaten und später M.G.-Feuer aus südsüdwestl. Richtung. Ein Posten am Waldrand schoß eine weiße Leuchtkugel ab (siehe Skizze 1).

Eine Patrouille der 1./32 mit dem Auftrag, die Tätigkeit des Gegners südl. 158 festzustellen, ging 5 Uhr vorm. bis zum Waldrand vor u. kletterte dort auf einen Baum. (s. Skizze 2). 50 m südl. 158 stand ein feindl. Doppelposten a in einem Granatloch. Ein weiterer Doppelposten stand bei b . I/32 ist der Ansicht, daß es sich bei a um eine vorgeschobene und dauernd besetzte Postierung handelt.

Patrouille der 1./R. 116 fand den Nordteil des von 266 nach N.W. führenden Kabelgrabens ohne Feindesspuren (Skizze 3). Auch die westl. davon gelegenen toten Grabenstücke waren frei vom Gegner und voll Wasser. Vor der 2. feindl. Linie starke Hindernisarbeiten. Von X aus wurden Handgranaten geworfen. bei 253 Leuchtkugeln abgeschossen.

Die in den letzten Nächten unter Führung von Lt. Müller (Martin) ausgeschickten Patrouillen der 11./71 brachten folgende Ergebnisse (siehe Skizze 4) : Das feindl. Hindernis südl. des Damenwegs besteht aus 3 Reihen Schnalldraht. In der Mitte der 1. und 2. Hindernisreihe befindet sich eine etwa 4 m breite Lücke. Jm Hindernis selbst wurden 3 , im Graben 1 Doppelposten festgestellt. Hart südl. des Damenwegs stehen 2 Granatwerfer. Vergl. Patr.Meldung der 7./32 im Tagesbericht vom 26. 6.

III. IV. V. — RENSEIGNEMENTS DE PATROUILLES

(103ᵉ D. I.)

(Extraits des comptes rendus des 4 juillet, 15 août, 18 août 1917.)

Patrouillenmeldungen

(Tagesberichte der 103. I. D.)

Eigene Tætigkeit (den 4. 7. 17).

Infanterie. — Eine Aufklärungspatrouille der 12./32 näherte sich in der Nacht zum 3. 7. 2 Uhr vorm. dem Steinbruch 148 auf etwa 70 m. und legte sich dort auf

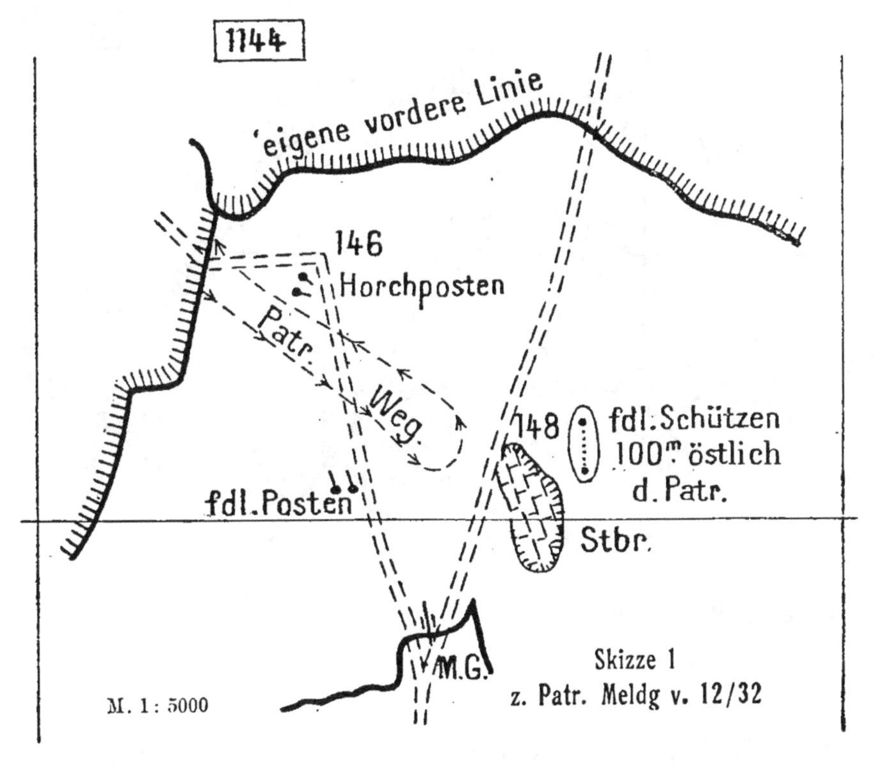

Skizze 1
z. Patr. Meldg v. 12/32

Lauer. Weder im Steinbruch noch in seiner unmittelbaren Umgebung waren Geräusche zu hören, die auf Anwesenheit des Gegners hindeuteten. Hindernis wurde nicht bemerkt. (Frühere Patrouillen meldeten wiederholt Schnelldrahthindernis nördl. des Steinbruchs). Als einer unsrer Leute sich erhob, um seine verlorenen Handgranaten zu suchen, setzte plötzlich von der linken Flanke her Gewehrfeuer ein, nach und nach aus etwa 25-30 Gewehren, ausserdem 4 Salven (je 5-9 Stück) Gewehrgranaten und später M. G. Feuer aus südwestl. Richtung. Ein Posten am Waldrand schoss eine weisse Leuchtkugel ab (Siehe Skizze 1.)

Patrouille der 1/R. 116 fand den Nordteil des von 226 nach N. W. führenden Kabelgrabens ohne Feindesspuren (Skizze 2). Auch die westl. davon gelegenen

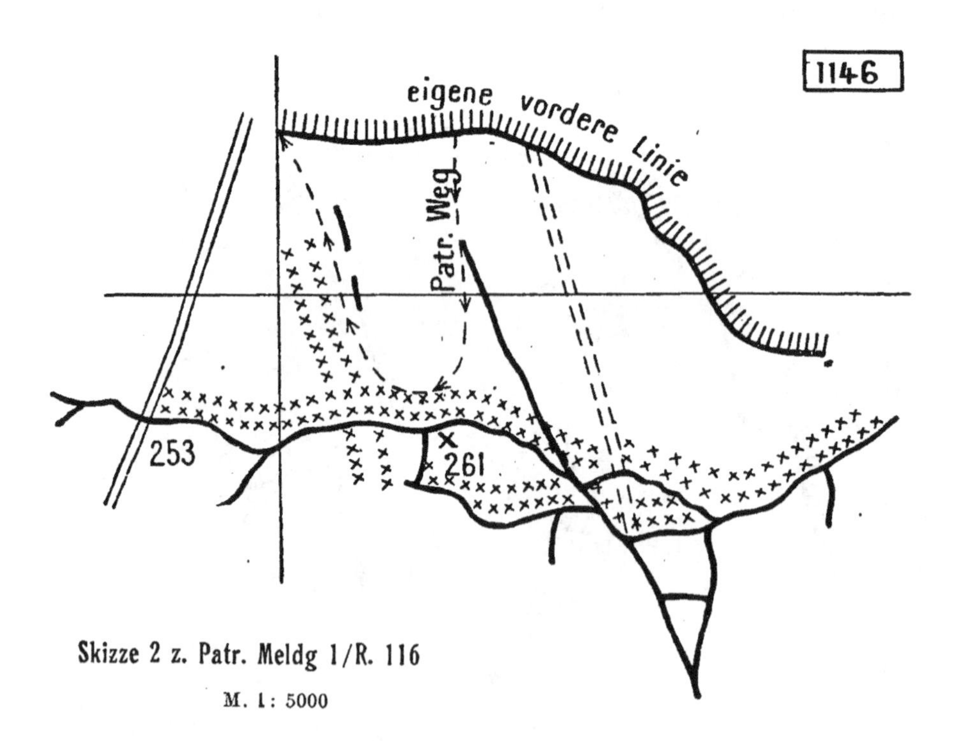

Skizze 2 z. Patr. Meldg 1/R. 116

M. 1: 5000

toten Grabenstücke waren frei vom Gegner und voll Wasser. Vor der 2. feindl. Linie starke Hindernisarbeiten. Von X aus wurden Handgranaten geworfen, bei 253 Leuchtkugeln abgeschossen.

Eine Patrouille der 1/32 mit dem Auftrag, die Tätigkeit des Gegners südl. 158 festzustellen, ging 5 Uhr vorm. bis zum Waldrand vor u. kletterte dort auf einne Baum (s. Skizze 3) 50 m. südl. stand ein feindl.

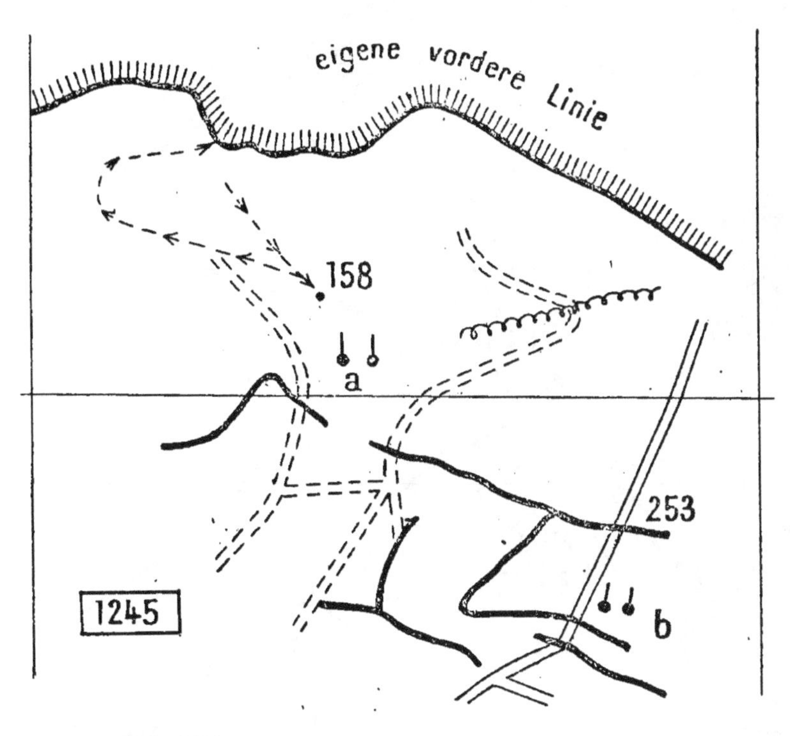

Skizze 3 z. Patr. Meldg v. 1/32

Doppelposten *a* in einem Granatloch. Ein weiterer Doppelposten stand bei *b*. 1/32 ist der Ansicht, dass es sich bei *a* um eine vorgeschobene und dauernd besetzte Postierung handelt.

Die in den letzten Nächten unter Führung von Lt. Müller (Martin) ausgeschickten Patrouillen der 11./71 brachten folgende Ergebnisse. (Siehe Skizze 4). Das feindl. Hindernis südl. des Damenwegs besteht aus 3 Reihen Schnelldraht. In der Mitte der 1. u. 2. Hindernisreihe befindet sich eine etwa 4 m. breite Lücke. Im Hindernis selbst wurden 3, im Graben 1 Doppelposten festgestellt. Hart südl. des Damenwegs stehen 2 Granatwerfer. Vergl. Patr. Meldung der 7./32 im Tagesbericht vom 26./6.

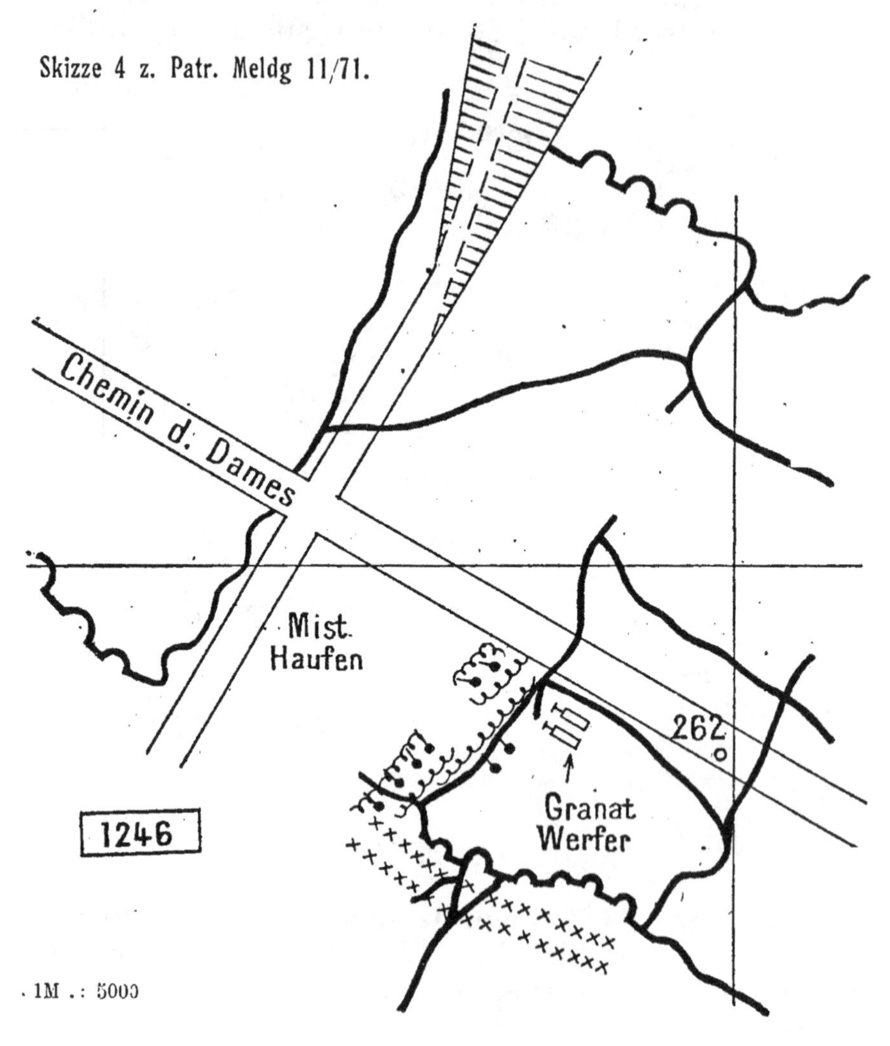

(den 15. 8. 17).

Eine Patrouille des II/I. R. 32 erkundete die feindl. Stellung nördl. Mennejean-Fe. Siehe Skizze 5. Bei *a* und *b* werden feindl. Sappen vermutet. Leuchtkugeln wurden von dort abgeschossen und Sprechen war zu hören. Bei *a* wurde auch geschanzt. 1.30 nachts Wagenverkehr in südl. Richtung.

(den 18. 8. 17).

Eine Patrouille der 2/32 erkundete die feindl. Stellung südöstl. Rotpunkt 227. Die dort vorspringende feindl. Sappe ist mit 3 Posten besetzt. 2 Mann standen im

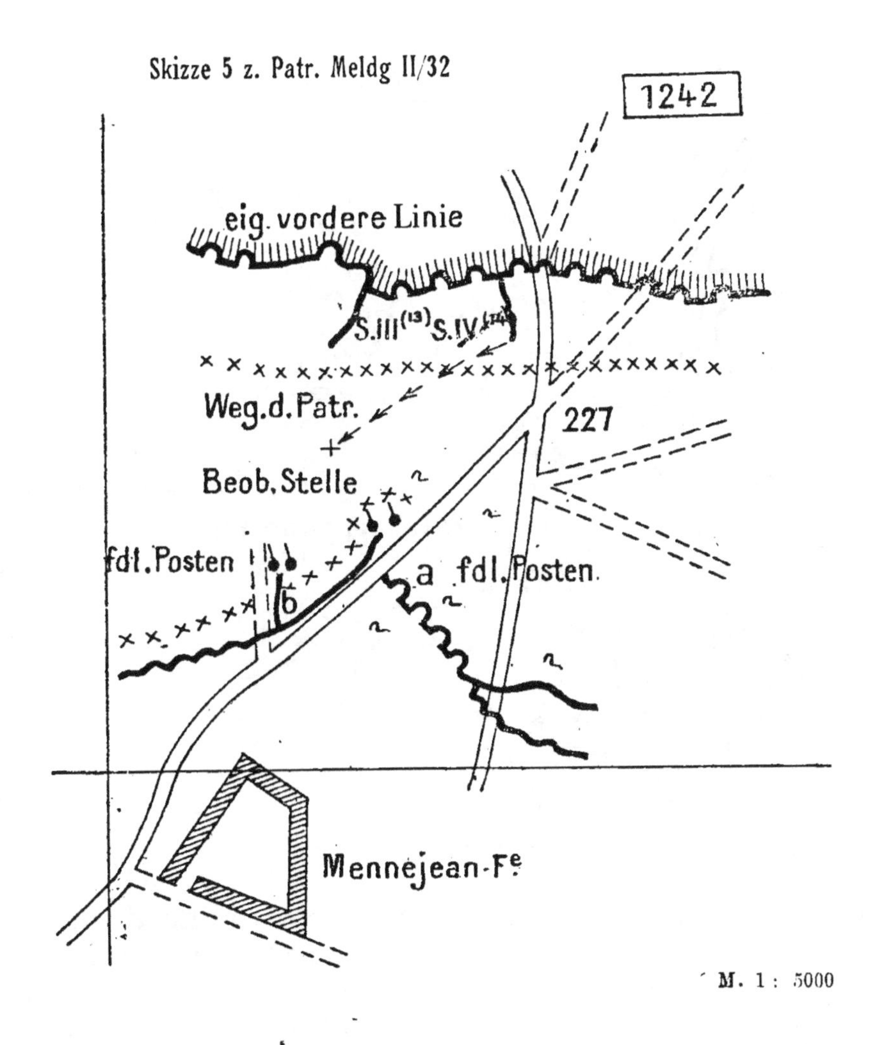

Sappenkopf, ein Mann in der Mitte des Sappengrabens, (Flankenschutz). Ein Ausheben der feindl. Besatzung versprach wegen des sehr starken Drahthindernisses und wegen der Aufmerksamkeit des Gegners keine Aussicht auf Erfolg. Skizze 6.

Den 18. 8. 17

Eine Patrouille der 3/71, Führer. Utffz. Bussemer, näherte sich der feindl. Stellung 120 m. westl. Strasse Colomb-Fe.-Vaurains-Fe. bis auf 50 m. Der Versuch,

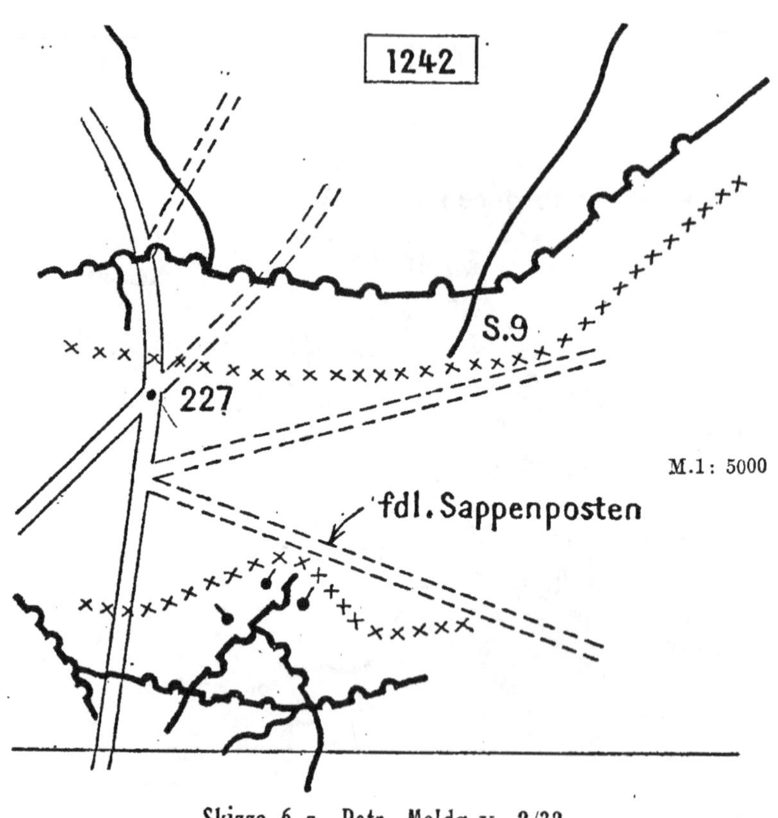

Skizze 6 z. Patr. Meldg v. 2/32

eine beobachtete feindl. Sicherungspatrouille zu umgehen, glückte nicht, da die Franzosen sich eiligst nach dem Graben zurückzogen.

Sie wurden verfolgt mit Handgranaten beworfen samt den am Hindernis arbeitenden Gegnern durch ein mitgeführtes leichtes M. G. beschossen. In dem nun eröffneten Feuer 2 er feindl. M. G. blieb die Patrouille Bussemer 1/2 Stunde lang liegen und beobachtete, wie ein Verwundeter aus dem breiten Drahtverhau in den Graben geschafft wurde. Nachdem der Feind ruhiger geworden war, versuchte unsere Patrouille das Hindernis zu durchschneiden, musste aber im ein-

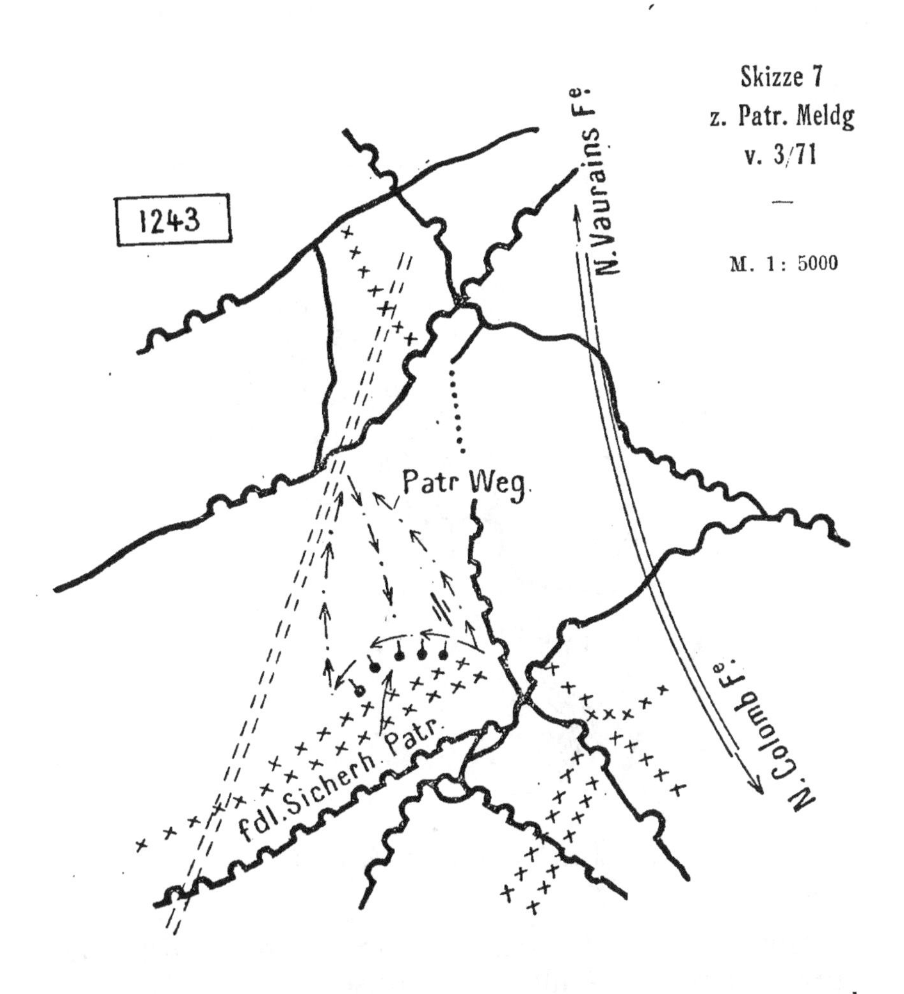

setzenden feindl. Handgranaten- und Gewehrfeuer davon ablassen. 1.45 vorm. kehrte eigene Patrouille ohne Verluste zurück. Skizze 7.

Eine von Lt. Braun geführte Patrouille der 9. u. 10./71 erkundete in der Morgendämmerung das neue feindl. Hindernis im Gaswald. Es beginnt 25 m. westl. des feindl. Sappenkopfs u. ist an einigen Stellen bis zu 10 m. breit. Besonders stark ist es vor dem Sappenkopf. Westlich davon war das am Tage vorher von Leuten der 10./71 zerschnittene Verhau noch nicht wieder ausgebessert. Der feindl. Sappenkopf war von

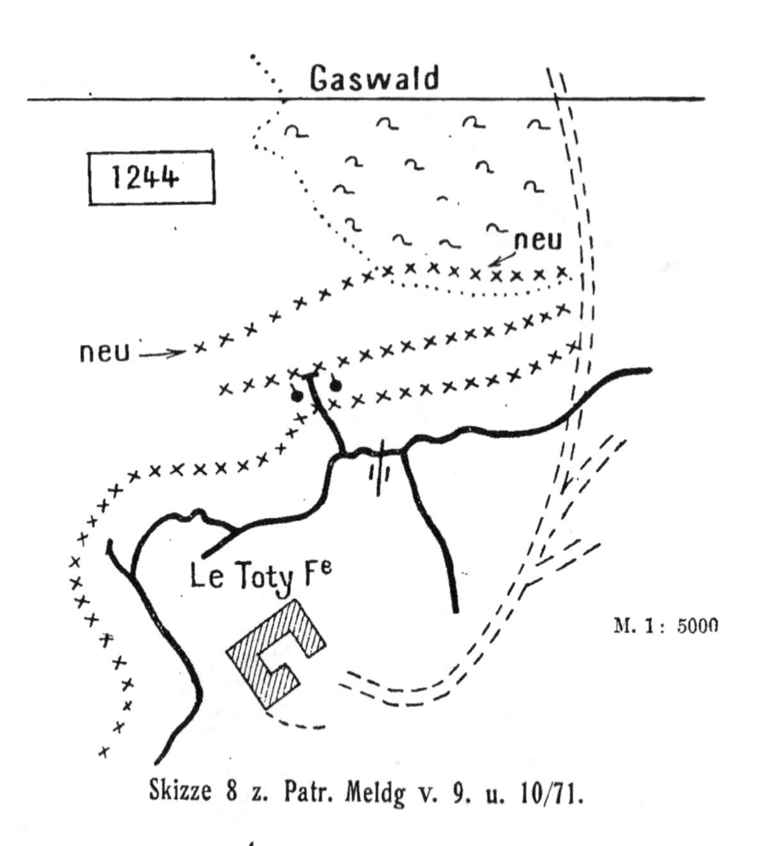

Skizze 8 z. Patr. Meldg v. 9. u. 10/71.

2 Mann besetzt, die samt einem 50-70 m. östl. der Sappenwurzel stehenden M. G. unseren Ifl. beschossen. Beim Steinbruch 148 waren Schanzarbeiten u. 2 Sprengungen zu hören. Rückkehr ohne Verluste 9.30 vorm. Skizze 8.

VI. — COMPTE RENDU DU 9 SEPTEMBRE 1917

(103e D. I.)

Nachrichtensammelstelle
103. I. D.

Div. St. Qu., den 9. 9. 17.

Tagesbericht

vom 8. 9. 6 Uhr vorm. bis 9. 9. 6 Uhr vorm.

Eigene Tætigkeit

Infanterie : Eine Patrouille der 1./32 klärte 8 Uhr vorm. (im Nebel) gegen die feindl. Stellung 216 auf. Siehe Skizze 1. Bei *a* wurde das 1. feindl. Hindernis (Stärke? Art?) festgestellt und durchschnitten. Der Drahtverhau bei *b* ist in gutem Zustand und wahrscheinlich als feindl. Haupthindernis anzusprechen. Bei *c* befinden sich 4 alte deutsche Unterstände, aus denen eine Wasserkanne und ein deutsches Koppel mit zurückgebracht wurden. Die Unterstände liegen in einem 1,20 m. tiefen Graben der parallel zum Waldrand bis fast zum eigenen Hindernis läuft. Im Graben fanden sich deutsche Stielhandgranaten vom 4. 3. 17. Gegen die eigene Stellung hin war der Graben durch Drahtgewirr ausgefüllt und teilweise verschüttet. Nach der feindl. Stellung hin war er offen. Die feindl. Sappe ist nicht weiter vorgetrieben, wie seither vermutet wurde. An der dafür angesprochenen Stelle ist ein alter zerfallener Postenstand. Nach zweistündiger Streife kehrte die Patrouille, unbelästigt vom Gegner, wieder zurück.

Eine Patrouille der 10./L. 85 fand das feindl. Hindernis südlich Bataillonsgraben in gutem Zustand. Ein feindl. Doppelposten wurde in 1242/19 *a b* festgestellt. Weitere Aufklärung wurde durch einsetzendes feindl. Inf.-Feuer und durch feindl. Leuchtkugeln verhindert.

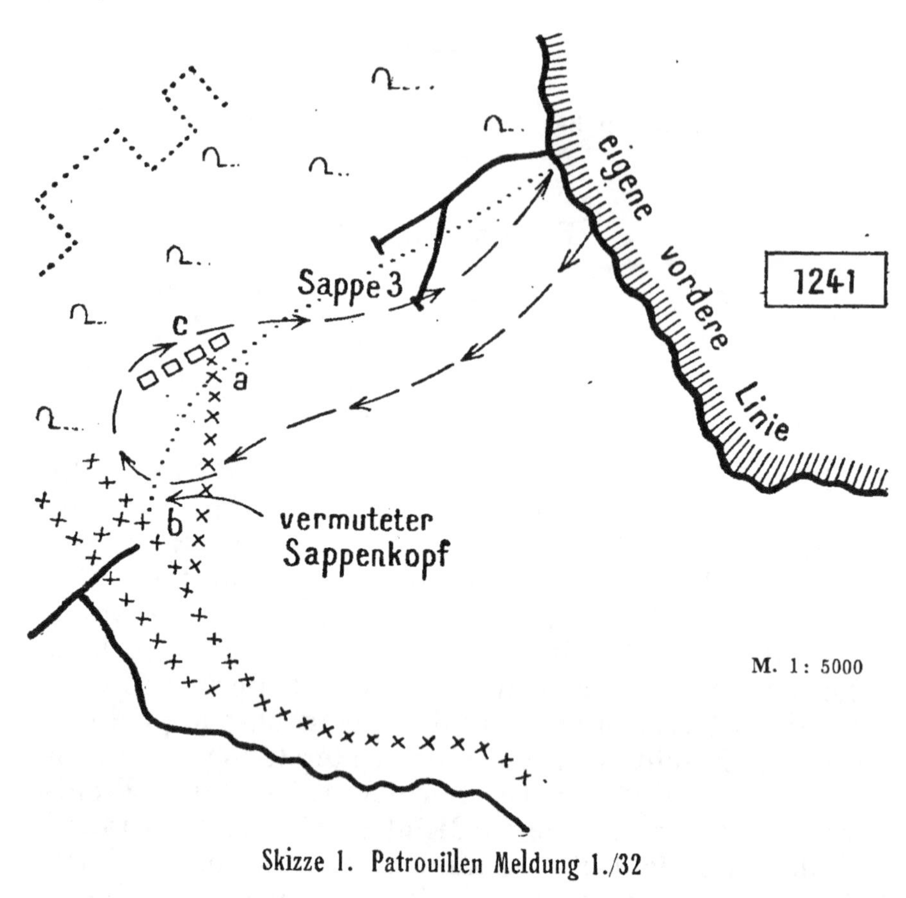

Skizze 1. Patrouillen Meldung 1./32

Eine Patrouille der 7./R. 116 arbeitete sich am Ostrand der Grenzwiese gegen die feindl. Stellung vor. Der Gegner schanzte mit mehreren Gruppen an seinen Gräben und hatte einen Postenschleier zur Sicherung vor das Hindernis vorgeschoben. Die feindl. Posten beschossen erfolglos unsere Patrouille.

Artillerie : Einschiessen der neu eingerückten Batterien gegen die verschiedenen Feuerräume. Notwendiges Prüfungsschiessen. Schutzfeuer für Ifl. 4-6 Uhr vorm. Vergasung der Teufelschlucht, des Höllen- und Franzosentals.

Beobachtungen und Erkundungen

sind wegen ungenügender Sicht (Nebel) nur in geringer Zahl eingegangen : Feindl. Stellungsteile bei Tr. P. 486 wurden ausgebessert und mit neuem Hindernis versehen. Das durch unser Minenfeuer am 7. 8. zerstörte Grabenstück in 1243/13 *a c* zeigt neue Sandsackaufbauten. Wiederholt Bewegung in 1343/9 *b*.

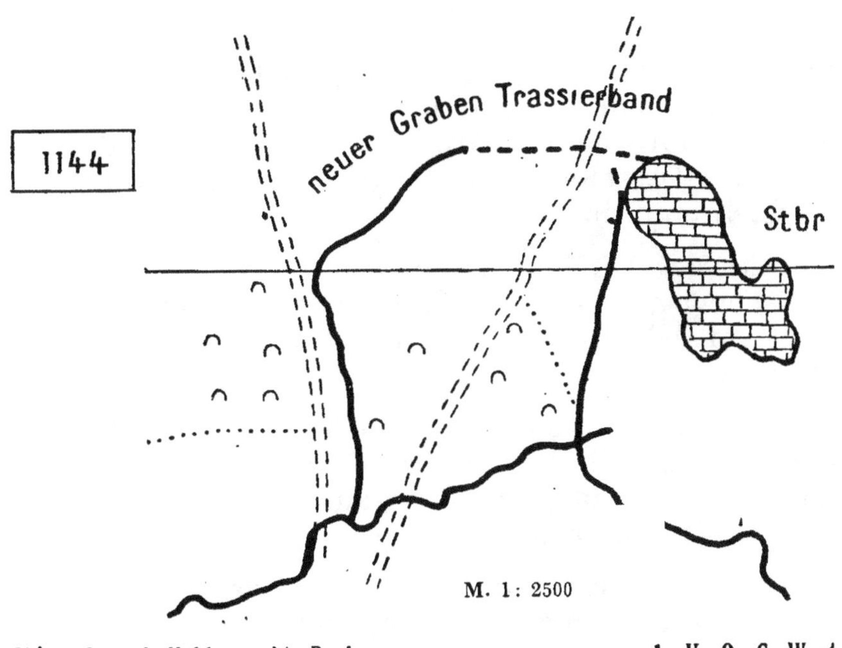

Skizze 2 nach Meldg. v. Lt. Bockmann A. V. O. G. West

Feindl. Hindernis vor neuer feindl. K. 1.-Linie auf Steinbruchwiese wurde erneut verstärkt. Am Eintritt des Grabens in den Ostwald steht ein M. G. oder Schnelladegewehr. Neues Grabenstück (K. 1.-Linie) führt von der östlichen Gaswaldsappe nach nordöstl. Richtung bis zur Höhe des Blaupkts. 148. Von dort führt Trassierband bis zum Nordrand des Steinbruchs. Siehe Skizze 2. 7. Uhr vorm. gingen beim Gegner nach Gasschiessen unserer M. W. 2 Rauchraketen hoch. Bedeutung war nicht zu erkennen.

Ifl. : Keine besonderen Beobachtungen beim Gegner. Eigene Truppen legten beim Abendflug Tücher gruppenweise aus. Gefechtsstände blinkten. Beim Flug am 9. 9. 1.45 nachm. konnte die Linie wegen tiefliegender Wolken nicht überflogen werden. Rgts.-Gefechtsstände blinkten.

Feindliche Tætigkeit

Infanterie : Verhältnissmässig ruhig. Einzelne M. G.- und Postenschüsse. Einige Handgranaten gegen Utffz.-Posten 1. Schanztätigkeit nördl. Toty-Fe. ; Hindernisarbeiten auf Steinbruchwiese. Auch während und nach dem Gasschiessen kein auffälliges Verhalten der feindl. Infanterie.

Artillerie : Am Spätnachmittag und Abend lebhaftes Artl.-Feuer gegen Inf.-Stellungen des linken Flügels, sonst im Allgemeinen mässige Tätigkeit der feindl. Batterien.

Abschnitt E erhielt etwa 300 Schuss, meist l. Kal., gegen die gewöhnlichen, beschossenen Ziele, ausserdem Feuerüberfall mit Gasgranaten auf Pommernschlucht (11,15 nachm.) ;

Abschnitt F : 600 l. und m. Kal. vornehmlich gegen K. 2, Zwischen- und Chavignongraben ;

Abschnitt G : etwa 1000 l. Kal. meist gegen K. 1 und K. 2.

Gegen Hintergelände geringes Störungsfeuer durch Einzelschüsse, abends einige kurze Feuerüberfälle auf Donnersberg, Katzenbuckel und Rabenwald. Gelände zwischen Vaudesson und Chavignon:

Auf unsere Gasbeschiessung antwortete der Gegner von 4.30-6.30 vorm. durch Störungsfeuer gegen die Inf.-Stellungen, das nur gegen F-West lebhafter war. Zur selben Zeit wurde das Gelände in 944, 1044 und 1045 mit 300 l. u. m. Kal. belegt, darunter etwa 100 Gasgeschosse.

Feuernd erkannte Battrn. :

Messtrupp 42 : 1646 *h*, 1547 *m.*;

Messtrupp 36 : 1649 *h.*; vermutl. feuernd : 1553/9 *a*, 1653 *n.*;

Messtrupp 119 : 936/24 *d.*

Von Fliegern am 7. 9. festgesetztes Mündungsfeuer : 1652/17 *b c*, 1853 *a b* (Flak).

Grabenkanonen u. Minenwerfer : Nachmittags wurde Pommernschlucht wiederholt durch eine Revolverkanone beschossen. Standort bleibt noch zu erkunden! Tagsüber 30-40 Schuss einer Revolverkanone gegen Chavignongraben.

Regts. Beobachtung R. I. R. 116 meldet : 11.40 vorm. 8 leichte Minen gegen K 1, 4-5 Uhr nachm. 10 mittl. Minen gegen K 1, 5-5.30 nachm. 20 schw. Minen gegen K 1 (Abschnitt ?)

Luftaufklärung : Vormittags keine Luftaufklärung. Nachm. u. abends geringe Fliegertätigkeit. Abends vorübergehend 1 Fesselballon.

Nachbardivisionen

Rechts : Mässiges Störungsfeuer der feindl. Artl. gegen Kampfgräben und Hintergelände. Keine besonderen Vorkommnisse.

Links : Feindl. Störungsfeuer zeitweise lebhaft. Nachm. heftige Feuerüberfälle gegen Teile der K 2-Linie. Auf Gasschiessen antwortete der Feind mit mittlerem Feuer.

1 feindl. Patrouille wurde durch M. G.-Feuer abgewiesen.

V. s. d. D.
Der 2. Generalstabsoffizier (1)
X.....
Hauptmann.

---

(1) V. s. d. D. = Von Seiten der Division, de la part de la division. Nous retrouvons ici la personnalité d'un officier du Grand Etat-Major, le capitaine X..., (2e officier du Grand Etat-Major), détaché à l'état-major de la 103e division (voir *supra*, p. 23).

VII. — COMPTE RENDU DU 9 OCTOBRE 1917

(103e D. I.)

Nachrichtensammelstelle
103. I. D.

Div. St. Qu., den 9. 10. 17.

Tagesbericht

vom 7. 10. 6 Uhr vorm. bis 8. 10. 6 Uhr vorm.

Eigene Tætigkeit

Infanterie : Patrouille des Regts. Augusta (1) erkundete in Richtung Bastion. Das feindliche Hindernis hart östlich Bastion besteht aus Draht an Holzpfählen. Lücken waren nicht zu bemerken. Am Nordrand d. Bastion wurde lebhaft geschanzt. Im übrigen verhielt sich der Gegner ruhig. Auch Wagengeräusche waren nicht zu hören (um Mitternacht).

Patrouille 11./Augusta fand Gegner in Stärke von etwa 50 Mann mit Grabenarbeiten auf Steinbruchwiese beschäftigt. Vermutlicher Verlauf siehe Skizze 1. Gleichzeitig bauten Leute am neuen Hindernis davor. Heller Mondschein hinderte näheres Herankommen.

---

(1) Le *Régiment Augusta* n'est autre que le 4e régiment de grenadiers de la Garde (Kaiserin Augusta Garde-Grenadier-Regiment n° 4, à Berlin).

Il faisait partie de la 2e division de la Garde qui est venu prendre position, le 15 octobre 1917, au Chemin-des-Dames dont les Allemands sentaient l'attaque proche (celle qui devait se produire le 23 octobre). Cette 2e division de la Garde comprenait trois régiments solides : 1er, 2e et 4e régiments de grenadiers de la Garde.

Le 1er régiment de cette division était le 1er Garde-Grenadier-Regiment Kaiser Alexander : les hommes des deux 1er bataillons de ce régiment (de même que dans le Régiment Augusta) étaient des *Grenadiere*, et ceux du 3e bataillon des *Füsiliere*.

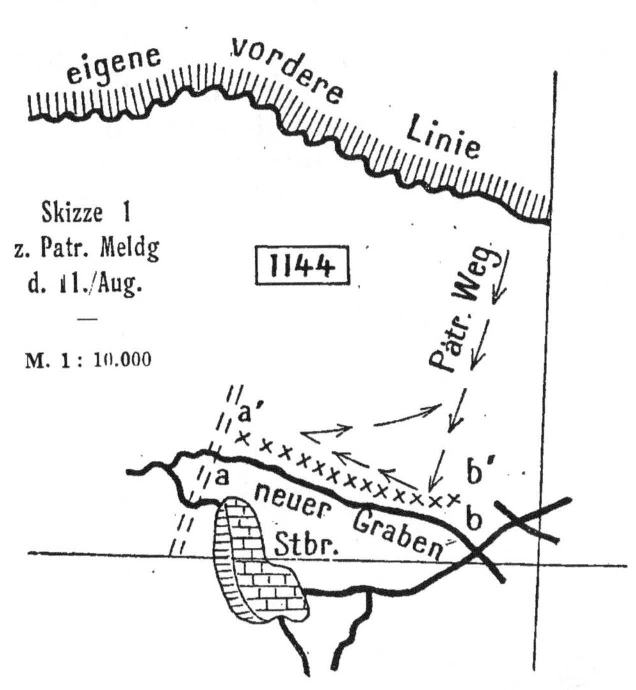

Offizierpatrouille 12./Augusta klärte in der Nacht zum 7./10. gegen feindliche Stellung östlich Bastion auf. Skizze 2. Feindl. Hindernis durchschnittlich 5 m. breit

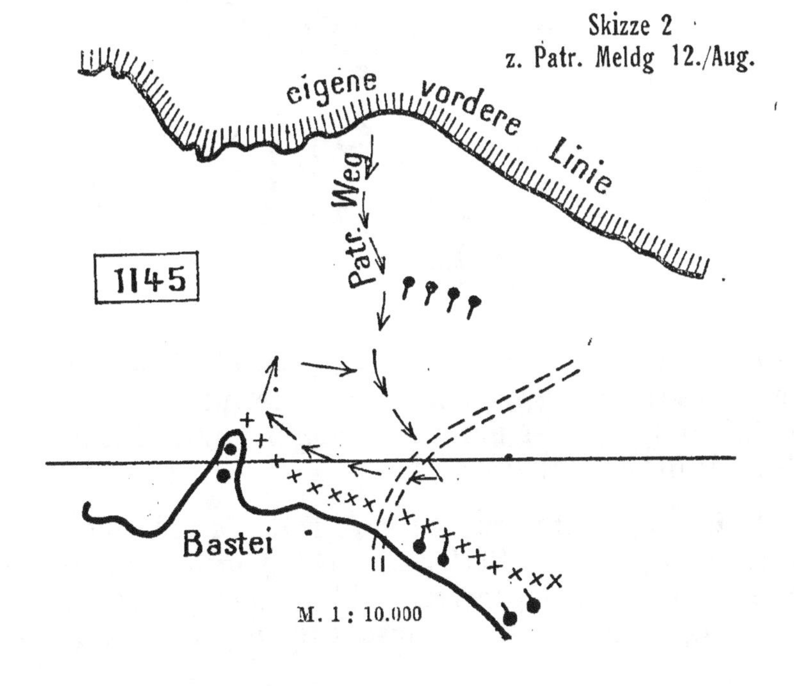

und in gutem Zustand. Keine Lücken. Beim Versuch, das Hindernis zu zerschneiden, erhielt die Patrouille Feuer. Hinter dem Hindernis in der Mulde scheint kein durchlaufender Graben, sondern nur Postenlöcher vorhanden. (Bestätigung früherer Patrouillenmeldungen). Feind war auffallend ruhig.

Patrouille des II./Augusta fand feindl. K 1 Graben zwischen Gaswald und Steinbruch unbesetzt. M. G. schoss aus Sappe 1. Die Patrouille verfolgte den K 1.

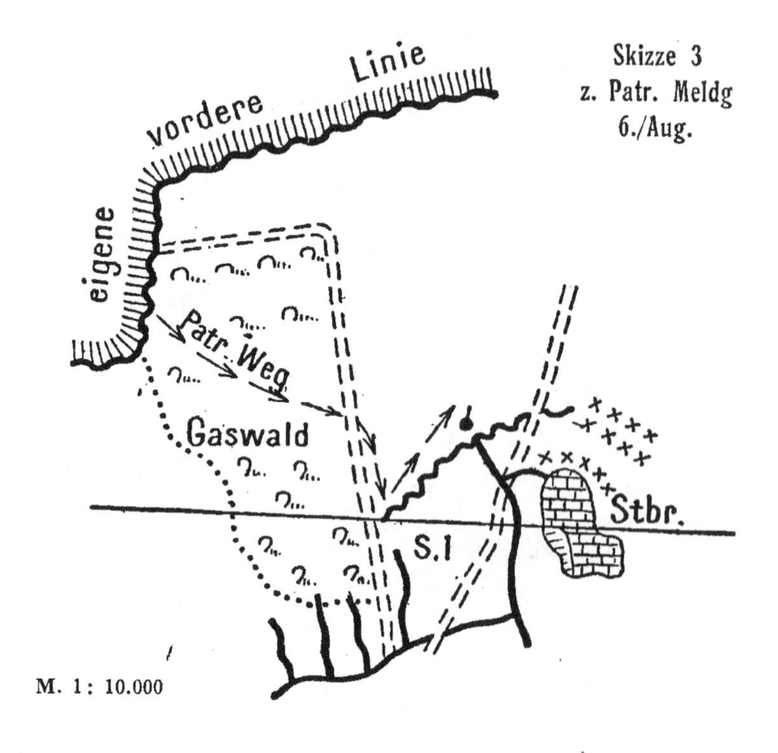

Graben in Richtung Steinbruch. Bei der Einmündung des Annäherungsgrabens stand feindl. Posten. Im Steinbruch (?) war Fahren 1 Wagens und Abladen von Holz zu hören. Skizze 3.

Artillerie : Zerstörungsfeuer mit Messplanbeobachtung gegen feindl. Batterien 1543 *g* und 1643 *f*. Einschiessen gegen Batterien 1543 *g* 1541/9 *a* und gegen Stellungsteile auf Grenzwiese. Störungsfeuer am Tage gegen Bewegungen und Verkehr in 1343/17 *b*, Pont-Rouge (Autokolonne) Höhe 182 und gegen Teilvernichtungsfeuerraum rechts. Störungsfeuer bei Nacht gegen Verkehrsknotenpunkte, Anmarschstrassen, Ortschaften. 7.04 nachm. eine Sperrfeuerwelle und danach eine Welle Teilvernichtungsfeuer rechts. Einschiessen auf neue Sperr- und Vernichtungsfeuerräume. Schutzfeuer für Ifl. Feuerüberfälle gegen Batterien 1343/25 *d* und 1443/6 *c*.

Beobachtungen und Erkundungen

Keine Fernsicht.

Abschn. F. : 8 Uhr vorm. wurde im Graben 1242/19 *d* geschanzt. Häufig Bewegungen beim Tank in 1342/3 *b*.

Abschn. E. : Neuer Postenstand bei 216. 8-10 Uhr vorm. Schanztätigkeit auf Südhang Mausefalle zu hören. 7.30 vorm. Feldbahnverkehr bei Nanteuil.

Abschn. G : 12-3 Uhr nachts Wagen- und Förderbahnverkehr in Teufels- und Jägerschlucht. Feindliche Gräben auf Grenzwiese zeigen erneut frische Schanzspuren. Am K 1 Graben lagen zahlreiche Sandsäcke auf Deckung. Auf Höhe 182 und auf Orme-Höhe wiederholt Leute ausser Deckung. 11.30 vorm. lange Autokolonne von Soissons-Fe. nach Soissons. 2 Uhr nachm. starke langandauernde Branderscheinungen in den Munitionslagern südwestl. Leuilly.

Abschn. H : Meldungen nicht eingelaufen.

Fussartl. : Keine besondern Wahrnehmungen.

Feldartl. : Frische Schanzstellen auf Blocksberg in 1242/24 *c*... Grabenbeobachtungsstellen in 1241/18... (Kleinquadrate?) 2.45 nachm. mehrere Reiter bei Höhle 34. Rauchende Unterstände in 1240/11... Zeitweise lebhafter Verkehr auf Strasse Vailly-Aizy. Gegen 1 Uhr nachm. Kleinbahnverkehr in 1640/1. Zerstörte Maske an Strasse Vauveny-Nanteuil ist wieder erneuert. Feuerndes Steilfeuergeschütz wird bei 567 vermutet. Soweit zu beobachten wurde Strasse Serches-Salsogne stark befahren. Aufgefundener Blindgänger auf Bergstrasse nahe Pinonriegel weist folgende Masse auf: Bodendurchmesser 13,5 cm, Führungsringumfang 30 cm. Torpedoform (1).

Ifl.: Kein Abendflug. Beim Morgenflug keine besondere Beobachtungen. Tücher waren spärlich ausgelegt. Gefechtsstände blinkten nur zum Teil.

Feindliche Tætigkeit

Infanterie: Uebliches M. G. Feuer und Postenschüsse. Kein auffallendes Verhalten. Nächtliche Schanztätigkeit wiederum auf Grenz- und Steinbruchwiese.

Artillerie: Feindl. Tätigkeit im allgemeinen sehr rege. Vormittags lag Abschnitt E unter lebhaftem Störungsfeuer. Die übrigen Abschnitte wurden weniger stark beschossen. Nachm. und abends zeitweise starkes Feuer, sowohl gegen Infanteriestellungen als auch gegen Hintergelände, das zwischen 6.45-7.45 nachm. besonders heftig war. Abschnitt E vermutet Einschiessen mittl. Kal. aus westsüdwestl. Richtung. Stellung 1./205 erhielt etwa 180 mittl. und l. Kal. im Einzelfeuer. 5.15-6 Uhr nachm. kamen einige schwere Kal. (18 cm.) gegen K. 2 Graben von N. Ost. 5 Uhr 4 schwere Schuss auf Gelände nord-östl. Chaillevois. Neue Ziele wurden nicht beschossen. Die vor dem Divisionsabschnitt stehenden feindl. Batterien beteiligten sich wiederholt an dem Zerstörungsfeuer gegen rechte Nachbardivision.

Feuernd erkannte Batterien: 1442/1 c... u. s. w.
F. L. Abt. 21 : 1548/6 *b d.*

Minenwerfer und Grabenkanonen: Kein Minenfeuer Chavignongraben und K 2 in Abschnitt F wurden wiederholt durch Grabenkan. beschossen. Standort nicht gemeldet.

---

(1) On ramasse des obus français non *éclatés*; on en prend avec soin les mesures essentielles qui trouvent ici leur place : elles seront le soir même *portées* à la connaissance du commandant du secteur.

Luftaufklärung : Fliegertätigkeit auffallend rege. Zeitweise 10 fdl. Flieger gleichzeitig über den Stellungen. Einschiessen durch Flieger mehrfach beobachtet. Ausser Kampffliegern auch grosse feindliche Beobachtungsflugzeuge. 3 Fesselballone.

Angeschnittene Ballone : Messtrupp 42 : 1838/1 c.

Nachbardivisionen

Rechts : Nach ausgiebiger Vorbereitung durch Artl.- und Minenfeuer, das sich vorwiegend gegen den 2. Graben am rechten Flügel richtete und sehr lebhafter, aber wenig planmässiger Bekämpfung unserer Artl. griff der Feind 6.35 abends den Abschnitt des rechten Regts. Süd der 37. I. D. an. Der Angriff — schon frühzeitig durch Vernichtungs- und Sperrfeuer bekämpft — wurde durch Inf. und M. G. Feuer abgeschlagen, wo er zur Entwicklung kam. Gegen 11 Uhr nachts vorübergehend erneutes starkes Feuer gegen vordere Linien.

Links : Tags über lebhaftes Störungsfeuer steigerte sich zwischen 6.30-8 Uhr nachm. zum Zerstörungsfeuer gegen rechten Regts. Abschnitt. Zeitweise starke Feuerüberfälle auf Schluchten und Teile des Hintergeländes. Nachts gewöhnliches Beunruhigungsfeuer. Bei 2 Patrouillenvorstössen der beiden rechten Regter. wurden 5 Gefangene der Regter. 19 und 118 der 22. frz. I. D. eingebracht.

Nach ihren vorläufigen noch nicht bestätigten Aussagen sind die feindl. Angriffe für den 10. 10. geplant (1). Bei Soissons sind grössere Truppenmengen versammelt, u. auch Kavallerie. Das Ziel des Angriffs ist die Höhenstellung zu gewinnen. Die 22. I. D. soll in diesen Tagen abgelöst werden, vermutlich von 66. oder 38. I. D.

---

(1) Date heureusement inexacte : l'attaque de La Malmaison n'a eu lieu que le *23 octobre*. Mais on voit par ce détail que la *menace* de l'attaque française pesa sur les défenseurs du Chemin-des-Dames depuis la fin du mois d'août jusqu'au 23 octobre. L'énervement des Allemands, durant cette période, fut considérable....

Besonderes

Am 28. 9. sind östl. Servais 2 aus frz. Gefangenschaft entflohene Deutsche zurückgekehrt: der Untffz. Karl Kühne vom Füs. Regt. 36 und der Gefr. Karl Kolm vom I. R. 84. Untffz. Kühne wurde nördlich St-Gobain bei einem Patrouillenunternehmen leicht verwundet gefangen genommen. Es wurden ihm sofort sämtliche Taschen geleert und, als er sich selbst verbinden wollte, die Verbandpäckchen abgenommen und weggeworfen. Nach vielen Vernehmungen in Noyon, bei denen Aussagen unter Androhung und Züchtigungen erzwungen wurden, kam K. zu einem Bauern auf Erntekommando.

Gefr. Kolm wurde beim Fort Brimont gefangen genommen und musste zunächst 4 Tage in einem mit Stacheldraht umzäuntem Platz unter freiem Himmel zubringen. Verpflegung: Wassersuppe und Brot. Nachdem er längere Zeit bei Bahnbauten und in Steinbrüchen beschäftigt war, kam K. zu demselben Bauern, wo sich auch Kühne befand und von wo sie am 23. 9. die Flucht unternahmen.

U. a. sagten sie nach ihrer Rückkehr aus, dass die deutschen Friedhöfe in Noyon und Cuts von den frz. Soldaten durch Zertrümmerung der Grabsteine geschändet worden sind.

Am 4. 10. gelang 2 weiteren deutschen Gefangenen nach 4 tägiger Streife südl. Ailly das Erreichen der deutschen Linie. Beide Soldaten waren Ende Sept. in der Sommeschlacht gefangen genommen worden. Schon auf dem Wege zur frz. Division wurden ihnen Achselstücke, Knöpfe, Messer und Uhren abgenommen. Bei der Division selbst wurde der Gefangenentrupp in einen Stacheldrahtpferch eingesperrt. Dort wurden die Leute einzeln herausgeholt und ihnen alles, was sie noch hatten, abgenommen. Die frz. Zivilbevölkerung verhält sich deutschen Gefangenen gegenüber immer noch ungebührlich und gemein.

V. s. d. D.

Beckmann

Major im Generalstabe.

VIII. — COMPTE RENDU DU 12 OCTOBRE 1917

(103e D. I.)

Nachrichtensammelstelle
103. I. D.

Div. St. Qu., den 12. 10. 17.

Tagesbericht

vom 11. 10. 6 Uhr vorm. bis 12. 10. 6 Uhr vorm. (1)

Eigene Tætigkeit

Infanterie : Patrouille der 3./L. 85 (2) klärte südl. Sappe 9 auf und erhielt Feuer aus den beiden schon bekannten M. G. *a* und *b*. Ein drittes M. G. wird bei *c* vermutet. Schanzarbeiten wurden nicht gehört. Skizze 1

Eine Patrouille der 10./L. 85, die nach Sprengung des Hindernisses durch Brandröhren in den feindl. Graben eindringen sollte, musste wieder umkehren, da die anscheinend feucht gewordene Ladung in den Röhren nicht zur Explosion kam.

---

(1) On approche de la grande attaque très réussie de La Malmaison par les Français (23 octobre 1917); on la sent venir dans les manifestations d'activité révélées par le compte rendu du 12. Voir notamment les vues de l'artillerie, les remarques des secteurs, l'activité aérienne, les menaces contre les divisions de droite et de gauche, les travaux nouveaux constatés par l'aviation. Les Allemands ne s'y trompent point.

A signaler aussi les résultats d'un interrogatoire de prisonniers français du 170e (167e D. I.).

(2) Au sujet de la présence de ce « Landwehr 85 » dans un des régi- de la 103e D. I., voir l'étude de la 103e D. I. dans l'introduction, à la première partie (Infanterie), *supra*, *p.* 8-9.

Eine Lauerpatrouille der 5./R. 116 lag vor dem feindl. Hindernis bei *a* auf Lauer. Neue Feststellungen wurden nicht gemacht. M. G. bei *b* bestrich häufig das Vorgelände. Posten bei *c* schoss Leuchtkugeln.
In feindl. Stellung war Ruhe. Skizze 2.

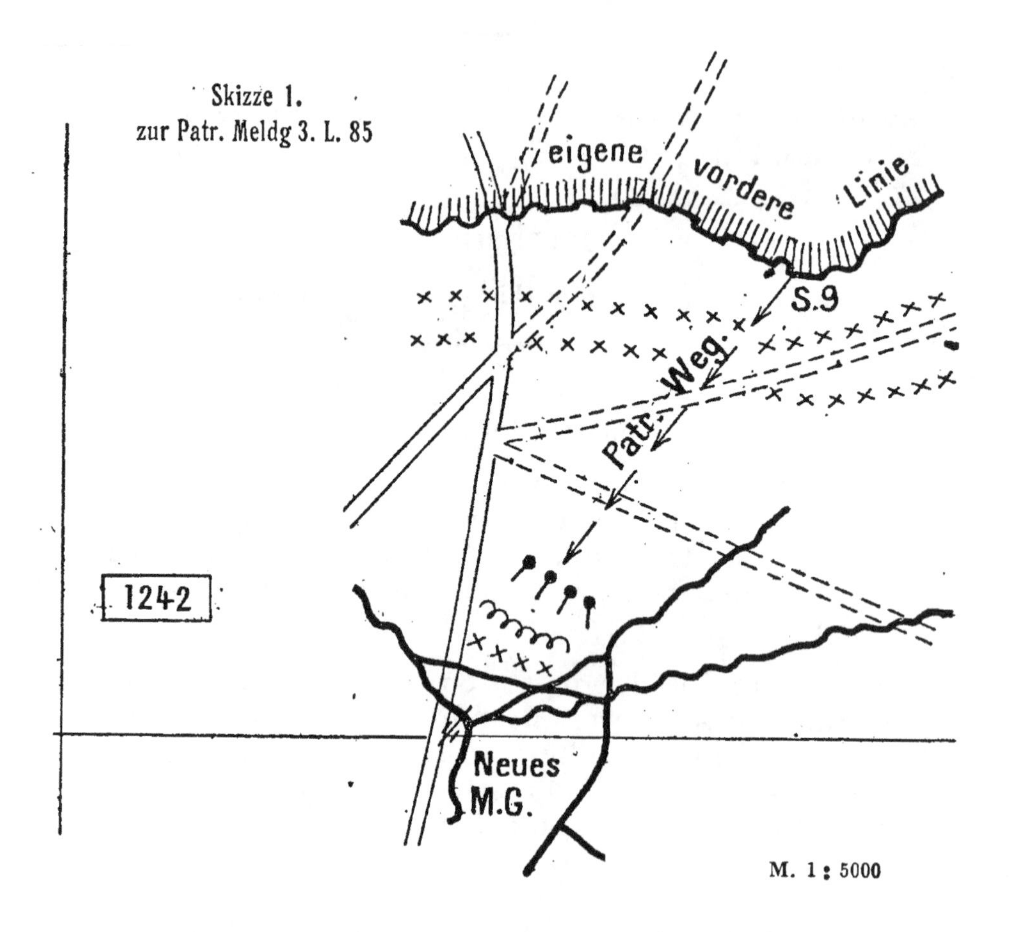

Patrouille der 6./R. 116 erkundete südl. Sappe 12. Gegner war sehr aufmerksam und schoss viel Leuchtkugeln. Schanztätigkeit war nicht zu hören.

Artillerie : Zerstörungsfeuer gegen feindl. Stellungsteile bei 331...; gegen Battrn 1442/21 *cd* (Messplanbeob). Feuerüberfälle gegen feuernd erkannte Batterien 1544/12 *a*, Störungsfeuer am Tage gegen beobachete

Bewegungen, Verkehr und gegen Schanzarbeiten. Störungsfeuer bei Nacht gegen Zufahrtswege, Förderbahnen, Aisnebahn bei Celles. Schutzfeuer für Ifl.

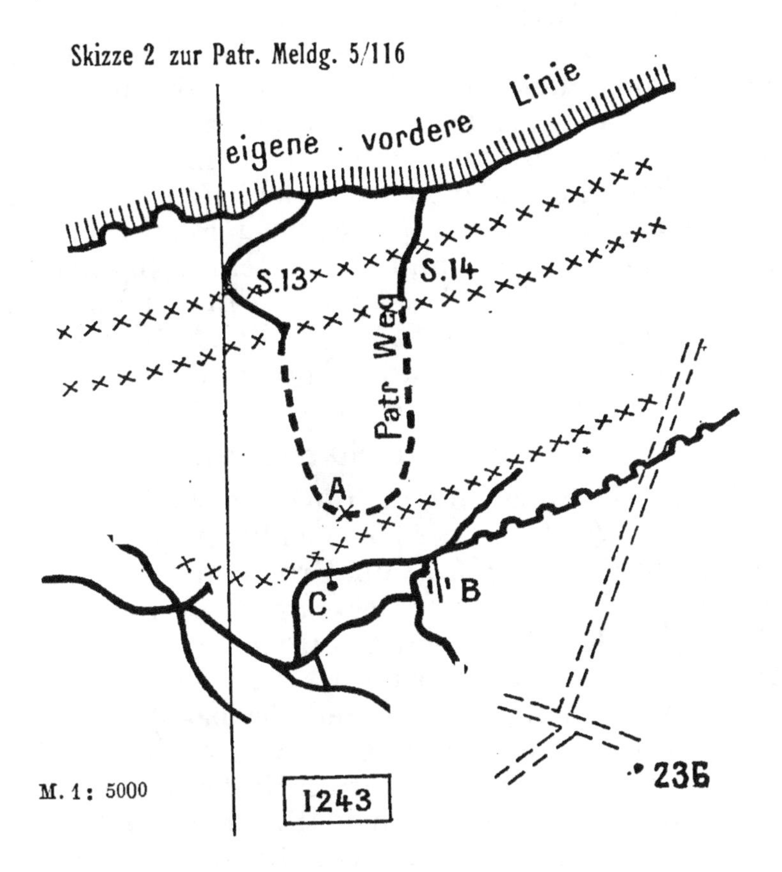

Skizze 2 zur Patr. Meldg. 5/116

Beobachtungen und Erkundungen

Fussartl. : 9,55 vorm. 10 Mann mit Gepäck von 344 nach 443. Weitere Beobachtungen nicht gemeldet.

Feldartl. : Zeitweise starker Personenverkehr bei 466 an den Unterständen in 1446/19 *a b* ...Bei 468 liegt ein anscheinend durch Artl. Feuer beschädigter Lastkraftwagen. Materiallager bei 377 ist über Nacht verschwunden. Frische Erdaufwürfe in 1243/18 *d*, Neue Sandsackbauten in 1241/18 *d*. In 1242/24 *c* wird Unterstandsbau vermutet. Hauptverkehr unmittelbar hinter den feindl. Kampflinien wurde in den letzten Tagen stets zwischen

4-6 Uhr vorm. wahrgenommen. Nachmittags sehr lebhafter Wagen-und Kraftwagenverkehr auf Strasse Brenelle-Presles. Auf derselben Strasse mehrfach kleine Reitertrupps. Zwischen 3-5 Uhr nachm. mehrere kleine Abteilungen beim Exerzieren auf Peuplierhöhe. Frische Schanzstellen in 1243/25 *c* (B.-Stollenbau?) Auf Strasse südöstl. Tr. P 1011 wurden ab 4,20 nachm. einige grössere Infanterieabteilungen im Marsch nach Osten beobachtet. 9-10,30 vorm. lebhafter Verkehr zw. Vailly-Aizy. 4.20 nachm. landeten 2 Flieger bei Soissons Fe. 11.40 vorm. und 3.30 nachm. Bahnverkehr bei Vasseny, 2.05, 4,35, und 6 Uhr nachm. reger Bahnverkehr im Pl. Qu. 2536 (? vielleicht bei Soissons). 2.30-5 Uhr nachm. lebhafter Förderbahnverkehr zwischen Terny-Sorny und 536.

Abschn. F : Meldungen nicht rechtzeitig eingelaufen.

Abschn. G : Zwischen 3-4 Uhr nachm. wurden Sprengungen am Westhang der Jägerschlucht gehört. Mehrfach beobachtende Offze auf Ormehöhe. Einzelpersonen wurden häufig ausser Deckung beobachtet bei Rote Häuser, bei den B.-Stollen auf Höhe 194. 4.30 nachm. orientirten sich 4 Offze bei 471. Auf Höhe 182 wurden wiederholt Schanzarbeiten und beobachtende Offze, ausser Deckung gesehen. Gegen 5 Uhr nachm. mehrere Offze bei 248. Strassenverkehr im Hintergelände besonders rege auf Strasse Brenelle-Presles und Soissons-Fère. Eisenbahnverkehr auf den Bahnhöfen Bazèches, Vasseny und Bucy-le-Long.

Ifl : Keine besondere Beobachtungen beim Feind. Eigene Gräben nördl. Mennejean stark beschossen. Tücher wurden gruppenweise aber nicht genügend ausgelegt. Gefechtsstände blinkten. Eigene Artl. gab gutes Schutzfeuer.

Feindliche Tætigkeit

Infanterie : Vorfeld und K 1. Graben wurde nachts häufig durch M. G. Feuer bestrichen. Beobachtungen, die auf Ablösung beim Gegner hindeuteten wurden nicht gemacht. Nächtliche Schanztätigkeit gering. Keine Patrouillen.

Artillerie : Feindl. Artl.-Feuer vorm. geringer als gewöhnlich. Nachm. zeitweise sehr lebhaftes Störungsfeuer gegen Infanteriestellungen besonders in E, gegen Gelände in der Umgebung von 9/205... und mit Fliegerbeobachtung gegen Gelände hart östl. Herrmannshof. Umgebung von Montbavin erhielt zwischen 11-4 Uhr nachm., etwa 50-60 mittl. Kal. Einige kurze Feuerüberfälle gegen Gelände zwischen Bruyères und Kanal und gegen Barbarossahöhle. Schwere Kal. wurden im eigenen Abschnitt nicht beobachtet.

Feuernd erkannte Battrn : Messtrupp 42 : 1540/9 *cd*... Von Fliegern am 10.10; festgestelltes Mündungsfeuer : 1545/16...; 1548/21 (anscheinend Flak).

F. L. Abt. 21 : 1645/3*d*...

Minenwerfer und Grabenkanonen : Kein Minenfeuer. Geringe Tätigkeit einer Grabenkanone bei 236.

Luftaufklärung : Fliegertätigkeit zeitweise sehr rege. Einschiessen mit Fliegerbeobachtung gegen Gräben in E. und gegen Gelände bei Hermannshof wird gemeldet. 7 Fesselballone in Sicht.

Angeschnittene Ballone : Messtrupp 42 : 1734/9 *d*.

Nachbardivisionen

Rechts : Artl.-Tätigkeit vorm. gering, nachm. und abends lebhafter als gewöhnlich. 6.50 nachm, griff Gegner nach kurzem heftigem Trommelfeuer im Abschnitt des rechten Regts. an. Angriff kam im schnell einsetzenden und gut liegenden Artl.-Feuer teilweise nicht aus den Gräben. An 2 Stellen wurde Gegner, der bis zum deutschen Hindernis herangekommen war, durch Handgranaten von der tapferen Besatzung abgewiesen. Während der Nacht heftige feindl. Feuerüberfälle.

Links : Ausser gewöhnlichem Störungsfeuer zeitweise heftige Feuerüberfälle. Gräben am linken Flügel und Fort Malmaison lagen nachm. unter Zerstörungsfeuer. Zwischen 11.30-12 Uhr mittags schoss sich eine schwere Battr. gegen Fort Malmaison ein. Etouvelles wurde zwischen 5-5.45 nachm. mit mittl. Kal. beschossen. Eine Battr.-Stellung wurde mit Zerstörungsfeuer belegt. Höhe 195 bei Monampteuil erhielt 200 mittl. Kal. darunter auch Gasgeschosse. Keine besondere Inf.-Tätigkeit. Feindl. Neuanlagen siehe Skizze.

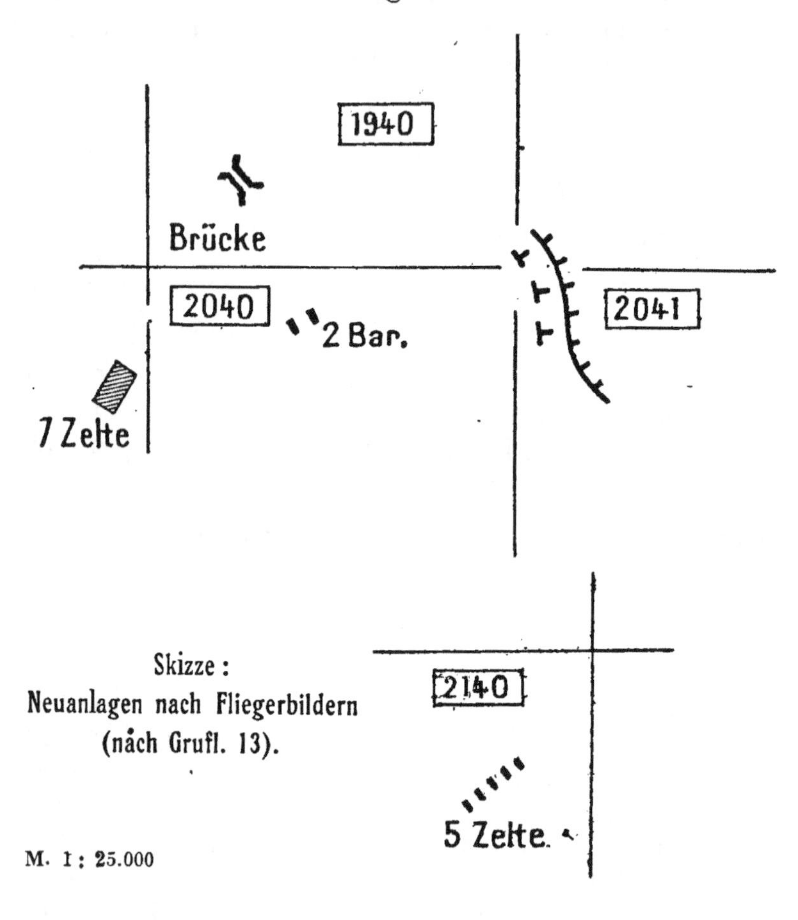

Skizze : Neuanlagen nach Fliegerbildern (nach Grufl. 13).

Grufl. 13 : Bereitschaftsgraben 800 m. südöstl. Royère Fe grösstenteils mit Tüchern überdeckt. Neu Unterstandsbauten möglichenfalls auch Stellungen für vorzuziehende Batterien. 1348/ 25 *b* (4)...

Neues Materiallager in 1549/1 *cd*...

Neuer Kleinbahnanschluss für Materiallager 500 m. nordöstl. Sermoise. Neue Aisnebrücke nördl. Sermoise (1940/17 *c*).

Neue Baracken bezw. Zelte : 9 Zelte bezw. Baracken im Lazarettlager nördl. Sermoise. 2 Baracken auf Bahnhof Braisne.

Neuer Fahrzeugpark 600 m. nördl. St. Marguerite.

Besonderes

Aus den Aussagen des von I. R. 71 eingebrachten Gefangenen des I. R. 170 der 167. franz. I. D.

167 I. D. steht seit 26.9 mit den Regimentern 409, 170 und 174 (von West nach Ost) in Front. Div. Grenzen und Anschlüsse nicht bekannt. Zu dem Unternehmen, das ursprünglich von Freiwilligen ausgeführt werden sollte, die sich trotz versprochenen Sonderurlaub und Kriegskreuz nicht meldeten, wurde schliesslich 1 Komp. I. R. 409 und 2 Züge I. R. 170 bestimmt.

Nach einem kurzen, überaus heftigen Feuerüberfall sollte eine franz. Offz. Patrouille, bestehend aus 2 Offz. und etwa 160 Mann in die deutschen Linien vorstossen, mit dem Auftrage unbedingt Gefangene zu machen. Die Patrouille war in 3 Abteilungen aufgestellt. Die westl. Gruppe (50 Mann) sollte ein vorgeschobenes deutsches Grabenstück umgehen und dabei ein hinter der 1. deutschen Linie stehendes M. G. zu erbeuten suchen. Die mittlere Gruppe, bestehend aus 30 Mann, sollte den Hauptstoss ausführen und die gegebenenfalls gemachten Gefangenen an die Ortsgruppe (von 20 Mann), die als Deckung vorgesehen war, weitergeben.

Nach Angabe des Gefangenen durfte mit einer vollständigen Einebnung des deutschen Grabens gerechnet werden. Am Tage lag schweres Vernichtungsfeuer auf der deutschen Stellung, an dem mehre 38 cm Panzer-Eisenbahngeschütze mitwirkten. Den Misserfolg des Unternehmens sieht Gefangener in dem überaus schnell einsetzenden, und gut liegenden deutschen Sperrfeuer leichter sowie schwerer Artillerie, die ein weiteres Vorwärtsdringen unmöglich gemacht hätte.

Stellung : 2. Graben ist Hauptverteidigungslinie. Im 1. Graben nur Posten mit Schnelladegewehren und Granatwerfern. Vor 1. Graben starkes Hindernis von 5-6 m Breite, M. G. befinden sich im 2. Graben, teilweise auch dahinter und beziehen oft Wechselstellungen.

Ziele für Artillerie und Flieger :

Mehrere 75 mm Batterien, im Walde etwa 1 km westl. Celles. 1 Munitionsstapelplatz liegt 100 m öst'. der Kleinbahn im Pl. Qu. 1643.

1 Kleinbahn im Pl. Qu. 1643/ 1543 ist bis zur Volvreux Fe im Pl. Qu. 1443 weitergeführt, hauptsächlich für Materialtransport. Regts.-Bagagen I. R. 170 im Walde 300 m südöstl. Celles. Küchen I. R. 170 in Baracken 300 m. nördl. Celles. Komp.-Führerunterstand mit 3 Ausgängen liegt in 1243/20 *c*. Sanitätsunterstand in1343/10 *c*. Je ein Batls.-Unterstand in 1244/ 22 und in 1343/19 *a*.

V. s. d. D.

BECKMANN

Major im Generalstab

ORDRES DIVERS

I. — Message téléphoné de la VIIe Armée au Groupe Vailly en prévision d'une attaque (avec additifs du Groupe Vailly et de la 103e D. I.). (17-18 SEPTEMBRE 1917).

Fernspruch an Gruppe (1) Vailly den 17. 9. 17.

Armeebefehl.

1) Feindlicher Angriff gegen linken Flügel Crepy und gegen Vailly ist wahrscheinlich. Feindfeststellungen und Ueberwachung der feindl. Kampftätigkeit sind besonders wichtig. Die Abwehr der Angriffe sind mit allem Nachdruck vorzubereiten. Eine kräftige Bekämpfung der feindl. Artillerie und Minenwerfer hat einzusetzen.

(1) Le *Gruppe* (ici le Gruppe Vailly) est le secteur de commandement constitué par l'ancien corps d'armée. Dès le jour, en effet, où la guerre est devenue une guerre *de position*, les divisions, unités de combat, ont, à peu près seules, conservé leur mobilité et leur faculté de déplacement. Il n'y avait plus d'intérêt à déplacer les corps d'armée, dont les quartiers généraux, en devenant fixes, centralisaient une foule de renseignements utiles et donnaient à la défense des secteurs de corps d'armée une homogénéité que le déplacement et la relève des divisions rendaient précisément indispensables. Le *Gruppe* devint donc l'organe de commandement intermédiaire entre les divisions et l'armée.

2) Von der 11. bayr. I. D. bleiben zunächst zurück :
2 Inf.-Regimenter als Eingreiftruppen für Crepy;
7 Feld-Batterien zur Verstärkung des Vernichtungs — und Sperrfeuers der 14. I. D.;
1 Pi.-Kompagnie zu Arbeitszwecken;
Der Rest der 11. b. I. D. wird durch Gruppe Crepy nach Sedan überführt.

3) Die Infanterie der 43. R. D. ist nunmehr Eingreiftruppe nur für Gruppe Vailly, das Arbeits-Bataillon der Division kann zunächst weiter bei Gruppe Crepy tätig bleiben.

Der Gruppe Vailly wird die letzte Abteilung des R. F. A. R. 43 zum Einsatz zugeteilt Als Eingreif-Artillerie bei der 43 R. D. wird die mit A. O. K. Ia/Gen. Art. 60/ Sept. 17 als Armee-Reserve zur Unterbringung in Gegend Laon zugeteilt. Nummern und Eintreffezeiten folgen.

4) Die Aufstellung der Eingreif-Truppen in Gefechtsgruppen (Inf. und Art.) und die Einrichtung der Nachrichtenmittel für ihre Befehlsführung ist vorzubereiten.

gez : v. Boehm.

A. O. K. 7 Ia Nr. 116/Sept. 17.

Gruppe Vailly
Gen. Kommando N. 54
Abt. Ia Nr. 105/9

K. H. Qu., den 17. 9. 17.

Zusatze der Gruppe Vailly.

Zu 1) — Auf kräftige Bekämpfung der feindl. Artillerie und Minenwerfer wird erneut hingewiesen. Genügender Munitionseinsatz.

Zu 3) — Die letzte Abteilung des R. F. A. R. 43 wird der 103. I. D. zum Einsatz zugewiesen. Das Nähere betr. Einsatz vereinbaren die Divisionen miteinander.

I./F. A. R. 504 trifft am 18. 9 in Verneuil und Barenton-Bugny ein. 43 R. D. veranlasst ihre Einweisung.

Zu 4) 1. M. G. Ss Abt. (1). der. 5. G. I. D.
2/3 M. G. Ss. Abt. der 5. G. I. D.
1/3 M. G. Ss. Abt. der 47. R. D.
zugeteilt zum Einsatz im rückwärtigen Gelände.

Beabsichtigter Einsatz ist zum 19.9. früh zu melden.

Zu 5) — 43 R. D. meldet zum 19.9 wie sie die gruppenweise Bereitstellung der Division im Falle eines Angriffs gegen 103 I. D. und 5 G. I. D. beabsichtigt, wo der Gefechtsstand der Division geplant ist und wie die Verbindungen sichergestellt sind.

Der kommandierende General :

gez : v. MUELLER.

F. d. R.

Der Chef des Generalstabes :

gez : HASSENSTEIN

Oberstleutnant.

---

103 Infanterie Division — Div. St. Qu., den 18. 9. 17.

I. Nr. 39 6 geheim

Zu 1) — Auf die besondere Wichtigkeit der dauernden Feststellungen und dauernden Ueberwachung der feindlichen Kampftätigkeit wird besonders hingewiesen. — Dünne Besetzung der vorderen Linie und Abwehr auch stärkster Erkundungsabteilungen in erster Linie durch Artillerie- M. G.- und M. W.-Feuer ist erforderlich. Starke Stossabteilungen müssen überall bereitstehen. Wie bisher muss sich unsere im Angriff so

(1) Nous retrouvons ici les formations d'élite de mitrailleurs (*Maschinengewehrscharfschützen-Abteilungen*) dont il est question dans l'étude sur l'infanterie (v. *supra*, p. 6). Ce sont bien les groupes à trois compagnies, *organes d'Armée*, que le « Gruppe » Vailly met à la disposition des divisions sous ses ordres.

oft bewährte Infanterie bewusst sein, in sofort automatisch einsetzendem Gegenstoss jeglichen Angriff des Gegners zurückzuschlagen. — In stärkstem feindlichen Artilleriefeuer hat sich ein Ausweichen der Infanterie nach vorne immer noch als günstig erwiesen.

Kräftigste Bekämpfung der feindlichen Artillerie ist in die Wege geleitet. Die Bekämpfung der M. W. muss durch eigene M. W. erfolgen. Hierzu ist auch Gas zu verwenden. Artillerie und Minenwerfer müssen weiterhin darin wetteifern in gespanntester Aufmerksamkeit jede Bereitstellung des Gegners zum Angriff und jeden Angriffsversuch durch ihr Feuer zu zerschlagen und zu ersticken.

Zu 3) — II./R. F. A. R. 43 ist vom Kommandeur der Artillerie so einzusetzen, dass die Abteilung bis zum 20.9 früh feuerbereit ist. 1. Battr. ist zurückzuhalten, um als bespannte Battr. Verwendung finden zu können. — Vorschläge über Aufstellung und Art der Verwendung sind der Division zum 20.9 vorm, einzureichen.

Zu 4) — M. G. Ss. Abt. wird der 205. Inf.-Brig. gemäss mündlicher Anweisung zum Einsatz im Pinon-Riegel überwiesen.

II. — Ordre du Groupe Vailly.

(18 SEPTEMBRE 1917.)

Gruppe Vailly
Abt. Ia Nr. 114/9.

K. H. Qu., den 18. 9. 17.

Gruppenbefehl.

1) — *Gefangenenaussagen* und das sonstige Verhalten des Feindes machen einen feindlichen Angriff gegen die Gruppe Vailly und gegen die linke Flügeldivision der Gruppe Crepy wahrscheinlich. Das Hauptziel der Franzosen bei diesen Angriffen wird die Eroberung des Fort Malmaison bilden. Die letzten Gefangenen nennen den 23.-25. September als die beabsichtigten Angriffstage.

2) — Wichtig ist es, dauernd zu wissen, welche Verbände des Feindes vor unserer Front stehen und wann er diese durch frische Angriffstruppen ablöst. Jede Division hat daher bis zum 23.9 früh ein neues Unternehmen auszuführen in der Art des vom Rgt. Elisabeth (1) am 17.9. durchgeführten. Vorschläge mündlich durch den 1. Generalstabsoffizier am 20.9.

3) — Für uns kommt es darauf an, die feindlichen Angriffsvorbereitungen zu stören, seine Angriffsmittel (Minenwerfer, Artl., Munitionslager, Ballons) zu vernichten und seine Bereitstellungsplätze (Unterstände, Bereitstellungsgräben, Annäherungsgräben, und Wege) *planmässig* zu zerstören.

Die Bekämpfung der feindl. Artl., besonders die der vorgezogenen Batterien, ist wie in den letzten Tagen, nachdrücklich weiter zu betreiben. In der Bekäm-

(1) Le régiment Elisabeth (3e régiment de grenadiers de la Garde) appartient à la 5e division de la Garde.

pfung der Munitionslager und im Zurückdrängen der feindlichen Ballone durch die schweren Flachfeuerbatterien muss mehr geschehen als bisher. Die Divisionen haben dem ein besonderes Augenmerk zu schenken.

Alle Steilfeuerbatterien, welche, ihrer geringeren Schussweite wegen für Artl.- Bekämpfung nicht in Frage kommen, sowie die mittleren und schweren Minenwerfer haben den Kampf gegen die feindlichen Minenwerfer, von denen der Feind anscheinend eine grosse Zahl einbaut, aufzunehmen, und die Gräben Unterstände, Annäherungsgräben- und Wege zu zerstören, besonders die 2. und 3. Gräben, in denen sich die Unterstände befinden und wo die Sturmtruppen bereitgestellt werden müssen. Die Divisionen melden wie sie diesen Kampf beabsichtigen und wie viel Munition sie dazu ansetzen.

4) Die Munition der l. Minenwerfer ist för die Sturmabwehr aufzusparen, da deren Nachschub nicht gesichert ist. Munition der mittleren und schweren M. W. kann bis auf eine kleine Reserve bei jedem Werfer unbedenklich verschossen werden. Ihr Nachschub ist gewährleistet, für Sturmabwehr kommen sie weniger in Frage.

5) — Da mit einer Unterbindung des Verkehrs über den Kanal während der Kampftage durch feindl. Gasfeuer gerechnet werden muss, treffen die Divisionen Vorsorge, dass die Verpflegung der vorn kämpfenden Truppe sichergestellt ist.

6) — Die augenblicklich den Divisionen zur Verfügung gestellten Kräfte sind *ausgiebig* zum Ausbau der Stellung auszunutzen (Schusssichere Unterkunft).

7) — Jede Frontdivision kann damit rechnen, dass ihr im Falle erhöhter Bereitschaft von der Eingreifdivision 2 Kompagnien *als Sicherheitsbesatzung* für die 2. Stellung mit Vorstellung zur Verfügung gestellt werden.

Sämtliche Reserven der Divisionen sind daher im Falle erhöhter Bereitschaft bis südlich des Kanals und der Ailette vorzuziehen.

8) — Das Angriffsverfahren der Franzosen vor Verdun (Angriff mit beschränktem Ziel und *sehr starkes* Abriegelungsfeuer) sowie der Charakter des Chemin des Dames erfordern ein *nahes* Heranhalten der Reserven (1).

Den K. T. Ks. und Regiments-Kommandeuren sind von vornherein starke Reserven zu geben. Da die Gruppe in den bevorstehenden Kämpfen über eine Eingreifdivision verfügt, können die Inf-Brig. und Divisionen stärkere Reserven entbehren.

Die Divisionen prüfen daraufhin die Vorbereitungen für « erhöhte Bereitschaft » und melden etwaige Aenderungen zum 20. 9.

9) — Wir dürfen nicht dulden, dass der Feind ungestört seine Angriffsvorbereitungen beendet, um plötzlich überraschend mit überwältigendem Feuer über unsere Gräben herzufallen. Der Kampf ist von uns zu eröffnen und mit allen zur Verfügung stehenden Kräften und Mitteln durchzuführen (2).

Der kommandierende General :

gez. v. MUELLER.

---

(1) Ces prescriptions constituent *une exception* aux règles posées pas l'annexe du 11 juin 1917 (suite de l'offensive franco-anglaise du printemps 1917), qui, organisant les positions, échelonne les forces en profondeur et interdit la densité dans la zone avancée; de même que sur la cote 304 et au Mort-Homme ils renoncent à l'ordre en profondeur, c'est ici la décision de *tenir coûte que coûte sur les premières lignes.*

(2) Mais là, on retrouve quelques principes de conduite du combat de l'annexe du 11 juin 1917, défensive active, mais dans un esprit offensif; entamer la lutte d'artillerie, recevoir l'assaut avec une densité voulue; l'infanterie doit agir spontanément et dans un sens offensif.

III. — Rapport du 71e Régiment d'Infanterie sur les travaux de campagne.

(FRONT N. DE VAILLY. — 12 SEPTEMBRE 1917).

Infanterie-Regiment 71 Regts. Gef. Stand (1), den 12. 9. 1917.
I. Nr. 1226 geh.

Der 205. Infanterie-Brigade

Bericht über Stellungsbau gem. Gruppe Vailly (2)

Ia. Pi. Nr. 19472 v. 19. 7. 17.

Stellung : G-West.

Bauleitung : Die Leitung des Stellungsausbaus liegt in Händen des Abschnittskommandeurs. Die Aufsicht in Händen des Unter-Abschn. Kommandeurs.

In der Stellung arbeiteten :

(*Formation, Arbeitskräfte.*)

Die 4 Stellungskompagnien des Bataillons ca 300 Mann, 1 Zug I. Pi. Kdo : etwa 35 Mann.

Urteil über Verteidigungsfähigkeit der Stellung :

Die Gräben des Abschnitts sind durchweg verteidigungsfähig, bis auf die Zwischenlinie.

Arbeitsleistung :

Anbau der Vorfeldzone, Ausbau des kl. Pinon-Riegels u. Anlegen von Schützenauftritten im Pinonriegel, Förderung des Stollenbaues, Aufräumungs-und Verbesserungsarbeiten in allen Gräben.

Hindernisbau am Pinonriegel.

---

(1) Regts. Gef. Stand = *Regimentsgefechtsstand*. P. C. de régiment, indication qu'on trouve en tête des ordres et rapports de régiments, analogue à celle de *Divisionsstabsquartier* pour les divisions, et destinée à cacher l'emplacement véritable du poste de commandement.

(2) L'original du document est sous forme de tableau synoptique dont les colonnes portent en tête les différentes rubriques.

Sind Arbeiten planmässig fortgeschritten?

Nur teilweise planmässiger Fortschritt.

Gründe der Verzögerung :

K 1 Graben lag oft unter starkem Feuer, das umfangreiche Wiederherstellungsarbeiten notwendig machte. Erhöhte Gefechtsbereitschaft, während der im Abschnitt völlige Ruhe herrschen sollte.

Für die nächste Woche geplante Arbeit :

Ausbau der Vorfeldzone und Einbau von Schützennestern. Instandhalten aller Gräben, Förderung des Stollenbaues, Ausbau der Zwischenlinie.

Stellung : G-Ost.

Bauleitung : desgl. (s. oben).

In der Stellung arbeiteten (Formation, Arbeitskräfte):

Die 4 Stellungskompagnien des Bataillons ca 300 Mann. 1 Zug I. Pi. Kdo. : etwa 20 Mann, 1 Komp. der Brigade-Reserve.

Urteil über Verteidigungsfähigkeit der Stellung :

Die Gräben des Abschnittes sind durchweg verteidigungsfähig.

Arbeitsleistung :

Ausbau der Vorfeldzone, hauptsächlich Verdrahtung des Ostwaldes. Das Hindernis der Vorfeldzone im Ostwald hat jetzt eine durchschnittliche Tiefe von 6-8 m.

Mit dem Ausbau der verteidigungsfähigen Stützpunkte ist begonnen worden.

Der Stollenbau wurde gut gefördert.

Die Komp. der Brig.-Reserve hat den neuen Graben am Südostrand des Garenne-Waldes von Artl. Schutzstellung bis zum Höhlenweg fertiggestellt.

Am Hindernis wird gearbeitet.

Sind Arbeiten planmässig fortgeschritten?

Nur teilweise planmässiger Fortschritt.

Gründe der Verzögerung :

Die Arbeiten verzögerten sich durch die erhöhte Gefechtsbereitschaft.

Für die nächste Woche geplante Arbeiten :

Weiterausbau der Vorfeldzone und Schützennester; Instandhalten aller Gräben, Förderung des Stollenausbaus.

Die Komp. der Brig.-Reserve :

Hindernis vor dem neuen Graben am Südostrand des Garenne-Waldes. Ausbau des « Alten Grabens ».

150 Mann des Rekr.-Depots :

Weiterführung des Grabens am Südrand Garenne-Wald bis Malmaison-Fe. und Verdrahtung desselben.

IV. — Mémoire sur l'organisation du Secteur du 1er Bataillon du 39e Régiment de Fusiliers.

(Front N. de Vailly. — 24 mai 1917.)

Denkschrift[1] des I/39

für den Abschnitt vom Wege Vaurains Fe.-Colomb Fe. bis 600 m. westlich davon

(linker Abschnitt Füs. Reg. N°. 39 den 24. 5. 1917).

Das I. Batl. liegt im linken Regiments-Abschnitt & besetzt mit 2 Kompagnien die vordere Linie die parallel der Strasse Chavignon-Soissons 600 m. südlich davon sich befindet. Linker Flügel am Wege von Vaurains Fe nach Colomb Fe bei Rotpunkt 231. Das Batl. besetzt eine Stellung von 600 m.

Vordere Linie.

Die vordere Stellung besteht aus dem eigentlichen Graben u. dem Riegelgraben schräg hinter lk. Flügel. Beide Gräben sind verteidigungsfähig, durchschnittlich 1,60 m. tief, haben Schützenauftritte, Schützennischen und schussichere Stollen. Für Unterkunft für 2 Kompagnien ist genügend Platz vorhanden. Stollen haben alle nur 1 Eingang. Vor der ganzen Linie, mit Ausnahme einiger Strecken vor dem linken Kompagnie-Abschnitt, befindet sich ein durchlaufendes, einreihiges Schnelldrahthindernis. An der 2. Reihe ist stellenweise mit Arbeit schon begonnen.

Verbindungswege sind zur 1. Linie nicht. Ein alter Verbindungsweg ist zwar vorhanden, der von der Vaurains-Fe. zum Riegelgraben führt, sich aber unter

---

(1) L'original du document est manuscrit et au crayon à copier; il semble être un mémoire en voie d'élaboration.

Artilleriefeuer befindet, total zusammengeschossen & verschlammt, kann deshalb als Annäherungsgraben kaum in Frage kommen. Bei Tage ist Verbindung durch die 2. Linie von I. R. 53 möglich.

Im Abschnitt befinden sich 4 M: G. Von dem eigenen Graben kann man vor uns liegende feindl. Gräben nicht beobachten, darum soll II. Batl am rechten Flügel des Rgt. 53 eine seitliche Beobachtung nach feindl. Graben, vor linkem Flügel unseres Abschnitts einrichten.

II. Linie.

In der 2. Linie bestehen nur am linken Flügel stützpunktartig ausgeschanzte Grabenstücke. Die Hauptarbeit ist zu legen auf Stollenbau in 2. Linie.

Lage, Zahl & Fortschritt der Arbeiten siehe Skizze.

Desgleichen befinden sich dort 2 im Bau befindliche M. W. & ein M. G. Stand. An den Arbeitsstellen ist mit Fliegersicht gerechnet & deshalb überall Schutzmasken angebracht.

Batl-Gefechtsstand liegt am Fusse des Südhanges, wo sich auch die 2 Bereitschafts-Komp., sowie 2 M. G. befinden

Hierselbst ist auch ein Materialien-Depot eingerichtet. Inhalt siehe anliegendes Verzeichnis.

Die 1. Bereitschafts-Komp. (Stollenbau) ist am oberen Hang der Schlucht, dicht hinter 2. Linie, untergebracht. Kann im Notfalle bei starker Beschiessung bereits in den Stollen untertreten. Letztere Komp. baut Tag & Nacht an Stollen. Ueberschiessende Leute von ihr leisten Trägerdienste vom Batl. Gefechts-Stand zur vorderen Linie; sämtliches Material wird durch die Trägerkomp. grundsätzlich nur zum Batl.-Gefechts-Stand gebracht, von wo aus das Batl. die Verteilung regelt.

Die 2. Bereitschaftskomp: (Trägerkomp.), die teils in Stollen & Zelten liegt, trägt nachts Material aus der Chavignonhöhle.

Verlauf : von dort, wo der alte Verbindungsgraben südl. der Vaurains Fe. auf die Chaussee stösst, führt sie auf die Ostecke des Dammes, hinter dem Damm entlang nach dem Waldrand, dann an diesem entlang schliesst sie an 2. Linie rechtes Neben-Batl.-Abschnitts an.

In 2. Linie sind 3 M. G. & zwar : 1 M. G. an Chaussee; 1 M. G. zur Bestreichung der Strassen & Tankbekämpfung; Stollen unter der Strasse ist im Bau.

Ein zweites M. G. auf Ostecke des Dammes, Flankierung des Waldrandes.

Ein drittes M. G. in dem Waldrand oberhalb des Batl. Gef. Standes (vorläufig bei Batl. Gef. Stand).

Die beiden linken M. G. sind zunächst untergebracht am Schluchthang bei linkem Flügelzug (50 m. westlich Vaurains Fe).

Trinkbares Wasser tritt etwa 70 Schritt westl. vom Batl. Gef. Stand in einem langsam fliessenden Quell zu Tage.

Bestimmte, gedeckte Anmarschwege sind nicht vorhanden, weil das ganze Gelände vom Feinde abgestreut wird. Am Sichersten geht man in gemessenem Abstand (etwa 300 m.) parallel der Strasse Chavignon-Soissons zur Vaurains-Schlucht unter Umgehung der Vaurains-Fe. Die Vaurains-Schlucht liegt unter zeitweiligem Artilleriefeuer kleineren & mittleren Kalibers. Abends & Morgens jedoch weniger wie Nachts.

Verpflegung gibt es grundsätzlich nur kalte.

Die Küchen stehen in der Chavignon-Höhle, von denen täglich an die Kaffeeholer der Komp. (von jeder Gruppe 1 Mann), die bei Dunkelheit zur Höhle kommen, Kaffee & Portionen ausgegeben wird.

Material wird durch einen eigenen Trägertrupp der Stollenbaukomp. in vordere Linie gebracht.

Materiallanforderungen gehen an das Regiment durch den Nachschub-Offizier & können täglich empfangen werden.

Zur Fliegerabwehr befindet sich ein M. G. : Lafette im mittelsten der 3 alten Mörserstände beim Batl.-Gef.-Stand.

V. — Ordre secret de la 103e D. I. en prévision d'une attaque (avec additifs du 116e Régiment d'Infanterie de réserve).

(15-16 SEPTEMBRE 1917.)

103. Infanterie Division den 15. 9. 17.
I. N° 5000 geheim

Divisionsbefehl[(1)].

1°) Sobald bei feindlichem Angriff eine planmässige Beschiessung oder Vergasung der Chavignon-Höhle erkannt wird, ist diese sofort von sämtlichen Stäben & Truppen zu räumen. Die Erfahrungen der letzten Kämpfe bei Verdun machen diese Massnahmen dringend erforderlich.

2°) Schanzkompagnie R./116 steht vom 16. d. Mts. ab dem R./116 zur Verfügung.

gez. v. AUER.

Res. Inf. Regt. 116 R. Gef. Std., den 16. 9. 1917.

Regimentsbefehl.

1°) Die Arbeitskräfte der Schanzkompagnie des Regiments, die vom Ruhebataillon nach vorheriger Meldung an das Regt. abgelöst werden können, stehen dem Lt. Schwerdtfeger zum Ausbau der K 2-Linie in F-West zur Verfügung. Die K 2-Linie muss an vielen Stellen verbreitert werden. Der Stollenbau ist namentlich in F-Ost zu fördern.

(1) L'original du document est une *épreuve dactylographiée* (au papier carbone) sur demi-feuille de 16/21 centimètres.

Das Drahthindernis ist, wo nötig zu verstärken, sodass die K 2-Linie baldmöglichst, auch nach ihrer baulichen Beschaffenheit als Hauptverteidigungslinie angesehen werden kann.

2°) Die Schanzkompagnien der 3 Regimenter bilden unter Führung des ältesten der 3 Kompagnie-Führer, solange das Ruhebataillon R. I. R. 116 noch nicht vorne eingetroffen ist, Brigade-Reserve & haben im Falle erhöhter Gefechtsbereitschaft die Artillerie-Schutzstellung (K 3) mit 2 Kompagnien westlich der Strasse Laon-Soissons, mit einer Komp. östlich dieser Strasse zu besetzen. Ihre Bestimmung ist rein offensiv. Lt. Zeh setzt sich wegen der Besetzung der K 3-Linie mit den Komp.-Führern der Schanzkompagnien der anderen Regimenter in Verbindung, er hat diesen Befehl bei Ablösung zu übergeben. Nach Eintreffen des Ruhebataillons bei erhöhter Gefechtsbereitschaft, tritt die Komp. zu ihrem Bataillon zurück.

VI. — Traduction d'ordres français du 297e Régiment d'Infanterie de la 129e D. I.

(5 JUILLET 1917)

Abschrift

Uebersetzung aus aufgefundenen Befehlen des franz. I. R. 297 der 129. I. D.

Tagesbefehl vom 20. 6. 1917.

Verpflegungsempfang.

Vom 18. Juni ab regelt sich der Verpflegungsempfang wie folgt :

Lebensmittel & Futter Bahnhof Braisne von 9-10 Uhr Vorm. (Deutsche Zeit).

Fleisch : Schlächterei Braisne 8 Uhr Vorm.

Tagesbefehl vom 16. 6. 1917.

Es ist gemeldet worden, dass zahlreiche Lebensmittelwagen vor 10 Uhr Abends an den Aisnebrücken eintreffen obgleich es verboten ist, die Brücken vor dieser Zeit zu überschreiten. Hieraus entsteht eine Ansammlung von Wagen auf den zu den Uebergangsstellen führenden Strassen. Diese Ansammlung ist gefährlich wegen der Luftbeobachtung des Gegners & des fortgesetzten Störungsfeuers auf die Verkehrswege im Aisnetal.

gez. D...
Rittmeister.

103. Infanterie-Division — Div. St. Qu., den 5. 7. 17.
I. Nr. 3092 op.

Sämtliche Beobachter sind auf die bezeichneten Stellen anzusetzen, um gegebenenfalls wertvolle Unterlagen für die Aufgaben unserer Artillerie zu erhalten.

V. s. d. D.
BECKMANN
Major im Generalstabe,

Verteilungsplan :

205. Inf. Brig. bis einschl. Batle.	14
Kdeur. der Artl. bis einschl. Battr..	42
	56 Stck.

VII. — Ordre de relève du 3e Bataillon du 16e Régiment d'Infanterie.

(18-19 OCTOBRE 1917)

III./ Inf. R. 16 18. 10. 1917.

Ablösungsbefehl.

1°) — III./16 löst in der Nacht vom 19./20. 10. 17 das Kampfbataillon I./16 im Abschnitt Oldenburg « Y » ab.

11./16 eine Komp. des I/16 im Abschnitt *k* um 2° Vorm.

12./16 eine Komp des I/16 im Abschnitt *l* um 2.30 Vorm.

9./16 die Stosskomp. des K. T. K. in Höhle 18 um 3° Vorm.

10./16 die Regts-Reserve in Höhle 18 um 3.30 Vorm. Abmarsch regeln die Kompagnien selbständig.

2°) — Zum Fahren der Tornister & M. G. 08/15 stehen jeder Komp. 2 Gespanne zur Verfügung : Abfahrtzeit regeln die Kompagnien.

3°) — Anzug : Sturmanzug mit Tornister.
150 Patronen
Eiserne Portionen (4 Fleisch, 2 Zwiebackportionen)
Selbstretter
Signalmunition
Fliegertücher.

Für M. G. 08/15 ist keine Munition mitzuführen.

4°) — Die Kompagnie-Abschnitte sind auf das sorgfältigste zu übernehmen. Auf genaueste Aufstellung der Uebernahme-Bescheinigungen wird hingewiesen.

Für jedes M. G. 08/15 sind mindestens 3000 Patronen zu übernehmen.

5°) — Die erfolgte Ablösung ist von den Kompagnien sofort an Batls.-Gef.-Stelle zu melden.

Die ausgegebenen Uebernahme-Bescheinigungen sind zum 20. 10. 8° Vorm. dem Bataillon einzureichen.

6°) — Terminmässige Meldungen sind wie bisher zu erstatten.

7°) — Vizefeldwebel der Res. Modersohn 12./16, 1 Uttfz 11/16 und je 1 Mann 11. & 12./16 lösen die Beobachter des I./16 ab. Meldung über erfolgte Ablösung an Batls.-Gef-Stelle.

8°) — 3. M. G. K. löst in der Nacht vom 20./21. 10 nach näherer Anordnung des M. G. O. b. St. ab.

9°) — Verpflegung. Gestellung von Küchenpersonal regelt V. O. wie bisher. Erfolgte Uebernahme der Küchen ist von dem Küchenpersonal an Btlns.-Gef.-Stelle mündlich zu melden. Ausgabezeiten für Verpflegung ordnen die Kompagnien selbständig an.

10°) — Die ausgegebenen Nahkampfmittel sind an die entsprechenden Kompagnien des 1./16 zu übergeben. Uebergabe-Bescheinigung ist dem Bataillon vorzulegen.

11°) — Uebergabe der M. G. 08/15 Munition an V. O. I./16 meldet V. O. II./16 zum 20.10 an Btlns.-Gef. Stelle.

gez. WEBER

Für die Richtigkeit :

X....

Leutnant u. Adjudant.

Verteilung :

9.-12. 3. M. G. K. je 1............	5
V. O. Vfldw. Aschemann..........	2
Btlns.-Arzt....................	1
Vfldw. Modersohn.................	1
Utffz. Höhmann..................	1
	10

Divisionstagesbefehl vom 18. 10. 17.

1°) — Es wird erneut darauf hingewiesen, dass der Verkehr geschlossener Truppen auf der Strasse Lizy-Anizy bei Tage verboten ist.

2°) — Die Truppenteile haben bei Beerdigungen die Personalnotizen der Verstorbenen 24 Stunden zuvor den zuständigen Geistlichen zu übersenden. Die Beerdigungen finden jeden Tag, Sonntag ausgenommen, 4 Uhr Nachm. in Mons statt.

gez. v. KRAEWEL.

III. Inf. R. 16 — 19. 10. 1917.

Bataillonsbefehl.

In Abänderung des Ablösungsbefehls vom 18. 10. 17 I. Nr. 239 Ia wird befohlen :

1°) — Mit der Meldung über erfolgte Uebernahme ist gleichzeitig von : *a*) 11. & 12./16 zu melden, dass eine durchlaufende Linie besetzt ist & der Anschluss rechts & links durch einen Offizier bezw. Offizier-Diensttuer geprüft ist *b*) — 9. & 10./16 zu melden, dass sie sich über ihre Aufgaben im Falle eines feindl. Angriffs eingehend unterrichtet und einen Probealarm abgehalten haben.

2°) — Jeder Mann ist mit 4 Stielhandgranaten auszurüsten. Entnahme aus den den Kompagnien überwiesenen Beständen. Der Rest der Nahkampfmittel ist an die Kompagnien des I./16 zu übergeben.

3°) — Für jedes M. G. 08/15 sind 1400 Schuss Munition mitzunehmen. Entnahme aus den gegürteten *Beständen der Kompagnie*. Auf Mitführung des Eisernen Bestandes an Leucht- & Signalmunition wird hingewiesen.

4°) — An Verpflegung ist mitzuführen. Eiserne Portionen (4 Fleisch, 2 Zwieback)ausserdem kalte Verpflegung für 1 Tag. Ausgabe veranlasst V. O. Falls die Lage es gestattet wird, vom 21. Vorm. an, warme Verpflegung ausgegeben werden. Ueber Nachschub an Rohmaterialien & Einsatz von Küchenpersonal erhält V. O. weiteren Befehl.

Warmer Kaffee kann von den Kompagnien am 20. Vorm. & Abends bei den Küchen in Höhle 18 empfangen werden. Zubereitung ordnet V. O. an.

5°) — 10./16 stellt Vizefeldwebel Nolte als Kommandant der Höhle 18. Meldung über erfolgte Uebernahme der Höhle an Batlns.-Gef.-Stelle.

6°) — Die Tornisterwagen sind *spätestens* vor der grossen Brücke zu entladen.

7°) — Bis 19. 10. 6° Nachm. ist ein Stärkerapport nach dem üblichen Muster vorzulegen.

gez. WEBER.

Im Umdruck an :

9.-12 3. MGK...........	5
V. O. Batlns.-Arzt.......	2
Vfldw. Aschemann.....	1
— Modersohn......	1
— Nolte...........	1
Utffz. Höhmann........	1
Akten................	2
	13

....Komp. I. R. 16.   ....Sept. 17.

Übernahme des Abschnitts "Oldenburg"
von ../b. R.I.R. 13 durch ../I.R. 16. am 18./19.9.17.

Im Abschnitt der Kompagnie sind übernommen :

1°) .... gegürtete Mg 08/15 Munition
.... Gr. W. Nr................
.... Wurfgranaten
.... Stielhandgranaten
.... Eierhandgranaten
.... Inf. Munition zur Reserve des Komp.-Führers
.... rot..
.... grün Signalpatronen
.... gelb.
.... Leuchtmunition
.... Leuchtsatzfeuer
.... Signalhörner
.... Stirnschilde
.... Spaten & Kreuzhacken
.... Speiseträger
.... Wasserfässer

2°) .... Verpflegungsdepot mit :
.... Portionen Fleischkonserven
.... — Zwieback
.... — Kaffee
.... — Flaschen Wasser

3°) .... Munitionsdepots
.... Inf. Munition
.... Stielhandgranaten
.... Eierhandgranaten
.... Wurfgranaten

übergeben :   übernommen :

....

Leutnant u. Komp. Führer.   Leutnant u. Komp. Führer.

VIII. – Thême d'exercice avec croquis au 25.000e.

(*Cas concret : Défense du secteur de Barleux*)

4 DÉCEMBRE 1916.

Zur Handskizze Abschnitt "Gustav"(1).

Übungsgefecht.

4. 12. 16.

Gefechtslage.

Um 10° Abends stürzt der Komp.-Führer von Reserve G 2 auf den Alarmruf seines Postens aus dem Unterstand : er gewinnt folgendes Bild der Lage :

Auf G2 & E1 & E2 liegt französisches, sich noch steigerndes Trommelfeuer.

Deutsches Sperrfeuer hat eingesetzt. Gelbe Leuchtkugeln steigen unausgesetzt. Infanterie-Feuer & M. G.-Feuer erschallt überall. Telephonverbindung gestört. Es ist Sternenhimmel & hell.

Läufer aus G2 von U. A. K. meldet : G2 wird angegriffen.

Mann v. Rgt. Elisabeth kommt atemlos an, sagt : « Gegner ist bei E1 durchgebrochen u. ist am Grossen Weg. »

Mann aus Rgt. Elisabeth aus Villers meldet : « Gegner in Villers, alles verloren, alles tot! »

Mann v. Rgt. Elisabeth aus Grossem Weg meldet : « Im Grossen Weg Kampf! »

5 Mann v. Rgt. Elisabeth kommen gelaufen, sie wissen nichts.

---

(1) L'original est écrit au crayon et au verso du croquis au 25.000e correspondant.

Aufgabe.

Welche Befehle erteilt der Kompagnie-Führer und an wen?

Welche Meldungen macht er und durch wen?

Was macht er persönlich?

Nach 5 Minuten an U. A. K. G 2 weiterreichen.

Ich ersuche G 2 Stellung zu nehmen.

gez : v. S....

DOCUMENTS DIVERS

I. — Notice sur les Alertes.

Merkblatt I

—

Alarm[1].

1. *Gewöhnlicher Alarm,* wenn feindlicher Angriff ohne Gas erkannt ist.

Alarmierung durch :

Schnellfeuer aller Posten,
Dauerfeuer aller M. G.
Elektrische Klingeln oder Klingelzüge zu den Unterständen,
Signal- oder Torpedopfeifen,
Ruf : "Alarm",

— aber *nicht* : Pflugscharen, Handglocken oder Hupen.

Jeder Mann eilt sofort mit Gewehr und Handgranaten auf seinen Platz in der Feuerlinie (Artilleristen und Minenwerfer in der befohlenen Ausrüstung auf ihren Posten).

Gasmasken um den Hals gehängt, *aber nicht aufgesetzt.*

2. *Gasalarm,* wenn feindlicher Gasangriff erkannt ist,

Alarmierung durch :

Schnellfeuer aller Posten,
Dauerfeuer aller M. G.

(1) L'original, ainsi que celui du document suivant, est imprimé en caractères gothiques au recto seulement, dans le format 16/21 centimètres.

Elektrische Klingeln oder Klingelzüge zu den Unterständen und alle nicht mit dem Munde zu bedienenden Mittel :

Pflugscharen,
Handglocken,
Auto-Hupen u. dergl.

Jeder Mann setzt zuerst seine Gasmaske auf und begibt sich dann, in der vorgeschriebenen Weise bewaffnet, auf seinen Posten.

3. Das Zeichen zum gewöhnlichen oder Gasalarm hat *jeder Posten* auf Grund seiner Beobachtung zu geben.

Die Alarmzeichen sind von jedermann, besonders von Posten und M. G.-Bedienung (durch Schnellfeuer) weiterzugeben.

Gruppen- und *Zugführer* überzeugen sich davon, dass die Zeichen nach seitwärts und rückwärts weitergegeben werden.

II. — Notice sur les Tirs de barrage.

Merkblatt 2.

Sperrfeuer-Anforderung.

1. Gleichzeitig mit Alarm (bei Gasalarm nur, sobald feindl. Angriff erkannt ist) ist das *Sperrfeuer der Artillerie anzufordern.*

   a) Durch Weitergabe des *Schnellfeuers* der Posten und *Dauerfeuers* der M. G. durch alle Posten und M. G. in rückwärtigen Stellungen.

   b) Durch :

Leuchtpistolenzeichen Hornsignal "Achtung" Fernsprecher Meldeläufer Signalwerfer Heulsirenen Kirchenglocken Nebelhörner Funkenstationen	Abzugeben von dem *Führer*, — u. zwar vom Zugführer (einschliesslich aus dem Untffz.-Stande) aufwärts — oder auf deren Befehl. Weiterzugeben von den Komp.- u. Batls.-Fuhrern, Abschn.-Beobachtern, Artl. - Beobachtern u. Artl.-Messstellen.

2. *Nebelbereitschaft.*

Tritt Nebel ein (auch bei Nacht!) so sind von den Komp.- u. s. w. Führern *ohne weiteren Befehl* folgende Massregeln zu treffen :

Verdichten der Patrouillen und Posten — auch in rückwärtigen Gräben und Stellungen, Schussbereithalten aller M. G. — wenn das feindl. Feuer es gestattet, auf der Brustwehr ;

Erhöhte Bereitschaft der Unterstandsbesatzungen ;

Erhöhte Bereitschaft der Meldeläuferketten, Hornistenkette;

Verdichten der Leuchtpistolenpostenkette.

Rechtzeitiger Alarm und rechtzeitige Anforderung des Sperrfeuers müssen auch bei Ausfall des Fernsprechers und der Leuchtpistole gesichert sein.

III. — Notice sur la discrétion à observer au sujet des opérations militaires[1].

Schütze Dein Vaterland und unsere kampfenden Kameraden[2].

1. Jeder weiss, dass unsere Feinde ein Netz von Spionen über Deutschland und die verbündeten Reiche ausgebreitet haben.

Unsere Feinde wollen durch dieses Mittel Nachrichten sammeln, um den Massnahmen unserer Heeresleitung rechtzeitig begegnen und die gesunkene Stimmung ihrer eigenen Soldaten und Völker neu beleben zu können.

2. Die Tätigkeit dieser feindl. Spione muss verhindert werden.

Dazu wollen wir alle beitragen!

Diese Spione oder Agenten arbeiten mit grossem Geschick. Männer und Frauen, leider auch deutschen Ursprungs, geben sich dazu her. Sie treten in jeder Verkleidung, sogar in Uniformen deutscher oder verbündeter Truppen, als Bahn- oder Postbeamte, im Krankenpflege- und Wohlfahrtsdienst, sowie schliesslich in Gestalt von zweifelhaften Frauenspersonen dem Soldaten gegenüber.

Nur in ganz seltenen Fällen wird man sie so erkennen, dass ihre Verhaftung veranlasst werden kann.

---

(1) Ces prescriptions existaient-elles avant la guerre dans l'armée allemande? Il ne semble pas. Elles sont nées des enseignements de la guerre elle-même et des puissants moyens d'investigation qu'elle a mise en œuvre.

(2) L'original est imprimé en caractères gothiques sur double feuillet du format du Soldbuch (8,5/13,5 cm.) à la gauche duquel il était collé avec les instructions sur les gaz.

Meistens halten sie sich, selbst unbeobachtet, in der Nähe, in Wirtschaften, auf der Strasse, der Strassenbahn, Eisenbahn u. s. w. auf, versuchen jedes Wort des Soldaten zu erlauschen und studieren seine Uniform, seine Haltung, seine Stimmung. Nur selten werden sie ihn anreden. Es genügt ihnen sein Gespräch mit andern aushorchen zu können.

3. Ein verständiger, vaterlandsliebender Mann muss sich daher zwei Grundsätze zu eigen machen :

1. Lass Dich in eine Unterhaltung mit niemandem ein, den Du nicht als braven Menschen kennst.
2. Rede selbst mit Deinen Verwandten und guten Bekannten nichts über militärische Dinge.

Es ist schwer, seine Zunge immer im Zaume zu halten und besonders schwer, wenn man etwas Neues erlebt hat und gern erzählen möchte. Und gerade dann soll man schweigen können.

4. Das Neue ist meistens auch für den Feind neu ; er soll dadurch überrascht werden, dass es ihm unerwartet auf dem Gefechtsfelde entgegentritt. Sorge also jeder durch sein Verhalten dafür, dass der Feind vorzeitig nichts davon erfährt.

5. Jeder Verständige wird dies einsehen und befolgen, wird daher auch beim Schreiben von Postkarten und Briefen vorsichtig sein.

Man kann nie wissen, in wessen Hände die Schreiben geraten, ob die, denen man schreibt, so vorsichtig in ihren Geprächen sind, wie es nötig ist. Die Nachrichten gehen möglicherweise weiter, vielleicht an den kriegsgefangenen Bruder oder Schwager, gelangen dadurch zur Kenntnis des Feindes und schaden schliesslich unserem Vaterlande.

6. Das Niederschreiben der Erlebnisse (Tagebuch) ist eine schöne Erinnerung für das spätere Leben, es kann aber zur Gefahr werden, wenn die Aufzeichnungen nicht sorgfältig verwahrt bleiben, sondern verloren werden und vielleicht dem Feinde wertvolle Angaben liefern.

7. Der Fernsprecher (Telephon) ist mit Ueberlegung und Vorsicht zu benutzen.

Es ist schon vorgekommen, dass gerade auf diesem Wege feindliche Agenten, die sich als deutsche Offiziere ausgeben und mit grosser Sicherheit den Befehlston nachahmen, versucht haben, sich Nachrichten zu verschaffen.

8. Auch auf die unvorsichtigen Kameraden gilt es einzuwirken, damit sie in gleicher Weise stets an die Ehrenpflicht zur Wahrung militärischer Geheimnisse denken.

9. Wer das grosse Unglück haben sollte, lebend in Feindeshand zu geraten, benehme sich, wie es einem deutschen Soldaten geziemt. Er lasse sich nicht ausfragen, selbst dann nicht, wenn er unter Drohungen gezwungen oder durch in Aussicht gestellte bessere Behandlung dazu ermuntert werden sollte.

Mannigfach sind die Ueberlistungsversuche, die der Feind macht. Man schenke in der Gefangenschaft deshalb niemandem sein Vertrauen, selbst Personen nicht, die in unseren Uniformen stecken. Haben gut deutsch sprechende Offiziere und Soldaten sich doch unserer Uniform bedient und sich im Lager ebenfalls als Gefangene ausgegeben um die gefangenen vertrauensseligen Deutschen zu täuschen und auszuhorchen.

10. Alle Briefe und Karten deutscher Kriegsgefangenen, ankommende sowohl wie abgehende, werden von Dolmetschern auf wissenswerte Angaben hin geprüft, alle ihre Pakete durchsucht. Die Angehörigen müssen dieses wissen und nichts schreiben, was dem Feinde wertvollen Aufschluss über unsere Wehrmacht und unser Wirtschaftsleben geben kann.

11. Wir wollen uns in allen hier besprochenen Fragen durch den sehr vorsichtigen englischen und französischen Soldaten nicht übertreffen lassen. Seien wir ihnen auch in dieser Beziehung ein unerreichtes Vorbild!

PROTECTION CONTRE LES GAZ

INTRODUCTION

LA GUERRE CHIMIQUE

Les gaz ont été introduits dans la guerre par les Allemands, au mépris de la Convention de La Haye.

C'est le 22 avril 1915 que nos ennemis inaugurèrent la guerre chimique par une attaque par nappes gazeuses chlorées exécutée au nord du saillant d'Ypres. Ils avaient déjà tiré en février-mars de la même année les premiers obus lacrymogènes et employèrent un peu plus tard, en juin-juillet, les premiers obus asphyxiants. Depuis ces dates, soit par vague, soit par obus, ils utilisèrent les gaz de plus en plus.

Les *vagues de gaz* des Allemands, faites de vapeurs de chlore et d'oxychlorure de carbone, étaient réalisés par eux à l'aide de cylindres assez semblables aux bouteilles d'oxygène, groupés dans les tranchées de première ligne et ouverts à un moment donné. Le gaz s'échappait et formait une nappe poussée par le vent, adhérente au sol et d'autant plus dangereuse que la température était plus basse, le vent plus faible et la quantité de gaz employée plus grande. Ces vagues apportaient les effets des gaz suffocants.

Les *projectiles toxiques* allemands, — tirés au début par le Feld-Kanone 77, puis plus tard par tous les calibres, jusqu'à celui de 21 centimètres inclus, et par tous les Minenwerfer, — étaient très nombreux. Notre Service de santé militaire en a relevé plus de trente-deux. Ils peuvent se partager en trois groupes :

Les projectiles à *croix jaune;*
Les projectiles à *croix verte;*
Et les projectiles à *croix bleue.*

Les projectiles à *croix jaune* (*Gelbkreuzmunition*), apparus en juillet 1917, étaient chargés avec du sulfure d'éthyle dichloré (ypérite) et des arsines chlorées et bromées. Les lésions et accidents dus à ces projectiles vésicants étaient des brûlures de la peau, des bronches et du larynx, et des inflammations des yeux. On trouvera plus loin, dans un document (1) de la 7e armée allemande (A. O. K. 7. St. O' Gas. Nr 3993), des recommandations pressantes faites au personnel au sujet des précautions à prendre tant pour le maniement de ces projectiles que pour le cas de leur destruction par le tir de l'adversaire ou d'éclatement prématuré à proximité des batteries.

Les projectiles à *croix verte* (*Grünkreuzmunition*) émettaient des gaz suffocants fournis par un chargement de cétones bromées, chloroformiate de trichlorométhyle, bromure de benzyle, chloropicrine, phosgènes, etc. Ils apparurent en juillet 1916, une année avant les obus à ypérite. Le désordre qu'ils causaient à l'organisme consistait essentiellement en l'œdème du poumon et une intoxication plus ou moins grave des voies respiratoires.

Les projectiles à *croix bleue* (*Blaukreuzmunition*), obus explosifs, apparus en mars 1917, chargés avec de la tolite et de la diphénylchloroarsine, ou du chlorure de diphénylarsine, étaient des obus ou minen sternutatoires provoquant des éternuements, de la douleur frontale, du coryza aigu. Ces projectiles n'allaient pas jusqu'à entraîner la mort ou des accidents graves; les malaises se limitaient au larmoiement des yeux et à un état d'abrutissement, symptômes d'irritation passagers. Ces désordres suffisaient toutefois à suspendre les facultés combatives et obligeaient, par exemple, les servants des pièces d'artillerie à arrêter le tir. On lira avec intérêt, à ce sujet, l'ordre n° 43601, du « Chef des Generalstabes des Feldheeres », du 2-1-1917, signé Ludendorff (2), mettant en relief l'utilité des tirs à gaz pour paralyser l'activité de notre artillerie.

---

(1) V. *infra*, IIe partie, p. 128.
(2) V. *infra*. IIe partie, p. 118.

DOCUMENTS

I. — Notice sur l'emploi du masque contre les gaz.

Merkblatt für den Gasschutz[1].

1. Vertraue Deiner Maske. Sie schützt dich, wenn sie gut verpasst ist, sich in gutem Zustande (ohne Löcher, Risse usw.) befindet und Du sie sicher und rasch zu gebrauchen verstehst.

2. Vertraue dem Einsatz und wechsele ihn nicht während eines Gasangriffs. Er schützt Dich unbedingt im Gaskampf, mag dieser auch stundenlang dauern.

3. Achte stets auf Wind und Wetter. Hauptsächlich die Nacht und die frühen Morgenstunden benutzt der Gegner für seine Gasangriffe. Darum trenne Dich nie von Deiner Maske, auch nicht während des Ruhens, Essens, Arbeitens u. s. w. Musst Du sie ablegen, so halte sie in greifbarer Nähe bereit.

4. Schone die Maske wie Deine Schusswaffe und halte sie sauber. Schütze Maske und Einsätze vor Nässe. Deine Gesundheit hängt im Gaskampf von ihr ab. Bringe kein Fett an ihre Metall- und Stoffteile, weil es den Gummistoff unbrauchbar macht.

5. Befolge genau die Gebrauchsanweisung in der Bereitschaftsbüchse und achte besonders auf die Gummidichtung im Mundring.

---

(1) L'original est imprimé en caractères gothiques gras, au recto seulement, à la manière d'un prospectus, dans le format 20/26 centimètres. Le titre souligné est en lettres de corps très apparent pour forcer l'attention du soldat.

6. Wenn Du Gaswolken siehst, riechst oder Gasalarm hörst, und wenn Du Granaten mit schwachem Knall oder Entwicklung eines weissen, länger am Boden haftenden Rauches in Deiner Nähe beobachtest, so lege *sofort* Deine Maske an und benachrichtige Deine Kameraden rasch ; denn das Gas ist schnell da. Rufe "G-a-a-s" (1), lege die Maske an, rühre das Läutewerk, mache Dich feuerbereit.

7. Atme ruhig und langsam, und lass es Dich nicht anfechten, wenn der Einsatz heiss wird. Das schadet nichts. Vermeide zu laufen und die Maske durch Anstossen zu verschieben. Deine eigene Unruhe wäre der beste Gehilfe des Feindes.

8. Bediene deine Schusswaffe wie sonst.

9. Der Unterstand schützt Dich nicht vor Gas, wenn Du keine Maske hast.

10. Wenn Deine Maske beschädigt ist, nimm als Notbehelf das Gewinde eines Einsatzes fest in den Mund und halte die Nase zu.

11. Lockere die Maske nach einem Gasangriff nur, wenn Du kein Gas mehr siehst, und nur mit grosser Vorsicht. Setze sie nur ab, wenn Du beim Lockern kein Gas mehr riechst.

12. Entfette Deine Schusswaffe wenn sie im Gase war, und fette sie frisch ein. Die Munition wische trocken ab und öle sie wieder ein.

14. Nach einem Gasangriff betritt deinen Unterstand nicht ohne Maske. Sorge für gute Lüftung von Graben und Unterstand.

14. Wische die Metallteile und tupfe die Stoffteile sorgfältig innen und aussen trocken, ehe Du die Maske wieder verpackst. Fehlt Dir ein trockener Lappen, so trockene sie an der Luft, bei heisser Sonne im Schatten, bei Regen oder Frost im Unterstand, jedoch nicht am Ofen.

---

(1) La transcription phonétique de l'appel avertisseur à employer est même indiquée; à relever ici, comme en bien d'autres passages, le souci du détail.

II. — Instruction en cas d'attaque par les gaz.

Gasschutz [1].

Giftiges Gas kann vom Feind aus Stahlflaschen gegen unsere Gräben abgeblasen oder mit Artilleriegeschossen und Minen verfeuert werden.

Das Abblasen macht ein zischendes Geräusch, Gasgeschosse geben einen schwachen Knall. Das Gas kommt schnell mit dem Wind.

Trage im Kampfgebiet Deine Maske immer, auch auf Patrouille, beim Schanzen oder Éssenholen, mit eingeschraubtem Einsatz bei Dir.

Beim Essen und Schlafen muss die Maske in greifbarer Nähe sein. Wenn Du Dich im Unterstand befindest, so hänge deine Maske nicht am Unterstandseingang auf. Schütze Maske und Einsätze vor Nässe und Hitze. *Kommt eine Gaswolke gegen Deinen Graben, oder wirst Du mit Gasgeschossen angegriffen, so musst Du :*

1. Ohne auf Befehl zu warten, beim geringsten Gasgeruch Deine Maske aufsetzen, nicht erst mit dem Aufsetzen zögern bis der Gasgeruch unerträglich wird.
2. Gasalarm schlagen und Deinen Dir zugewiesenen Platz besetzen.
3. Dich für den Nahkampf bereit machen, denn der Feind *kann* unmittelbar hinter einer Gas- oder Rauchwolke herankommen.

---

(1) L'original est imprimé en caractères latins au verso seulement d'un feuillet du format du Soldbuch (8,5/13,5 cm.) à la gauche duquel il était collé, afin que l'homme soit moins exposé à perdre la notice et ait plus souvent l'occasion de la relire.

Ist die Gaswolke da, so vertraue Deiner Maske, vermeide das Laufen und bewahre die Ruhe! Den Einsatz kannst Du bis zu 6 Stunden lang im Gas gebrauchen. Prüfe Dein Gewehr auf Ladehemmung und fette es nach dem Abwischen nötigenfalls frisch ein.

Ist die Gaswolke vorüber, so musst Du:

1. Durch Schwenken von Tüchern, Mänteln und dergl. die Reste des Gases aus dem Graben entfernen.
2. Durch Anzünden eines Feuers im Ofen oder in einem Ausgang des Unterstandes das Gas aus diesem vertreiben.
3. Maske erst dann absetzen, wenn beim Einschieben des Fingers am Maskenrande kein Gas verspürt wird.
4. Deine Maske mit Lappen trocken wischen (nicht mit Fett, Oel oder Vaseline in Berührung bringen).
5. Dein Gewehr reinigen und Dich auf einen neuen Gasangriff vorbereiten, da der Feind oft mehrere Gaswolken mit kurzen Zwischenräumen einander folgen lässt.

Der kommandierende General.

DEUXIÈME PARTIE

ARTILLERIE ET PIONNIERS

INTRODUCTION

I. — ARTILLERIE

Artillerie de campagne

En 1914, il n'y avait pas, en Allemagne, d'artillerie de corps. Afin de favoriser précisément cet engagement, aussi prompt que possible, des *colonnes de division*, dont nous avons parlé à propos de l'infanterie (voir *supra*), toute l'artillerie de campagne était *divisionnaire*, et l'on comptait par division de réserve, de 6 à 9 batteries, et par division active, de 9 à 12 batteries.

Vers le milieu de 1916, les Allemands réorganisèrent leur artillerie de campagne d'une façon complète.

Ils ramenèrent à *9 batteries* la majeure partie des artilleries divisionnaires, qui avaient été portées à 12, et ils créèrent des *régiments indépendants*, formés de batteries de canons et d'obusiers légers, ces régiments constituant une réserve d'artillerie de campagne, affectée aux secteurs actifs, à la disposition des armées ou du G. Q. G. Le nombre de ces régiments alla en croissant dans la limite des créations d'artillerie de campagne, c'est-à-dire environ 4 régiments par mois.

La proportion des obusiers légers qui, au début, était du quart (3 batteries sur les 12 divisionnaires de 1914), passa du même coup au tiers.

En définitive, dans l'état de 1917, l'artillerie de campagne allemande comprenait :

1° Les *artilleries divisionnaires* : 9 batteries (dont 3 d'obusiers) par régiment;

2° Les *régiments indépendants* : 9 batteries de 4 pièces ou 6 batteries de 6 pièces, lorsque le matériel était de montagne, ou de position de campagne, d'infanterie ou de combat combat rapproché;

3° Des *éléments divers* : groupes à cheval, batteries d'accompagnement, etc.

Soit un total de 10.000 pièces environ (1).

L'artillerie divisionnaire, de beaucoup la plus importante comme nombre, comprenait donc *1 régiment, de 3 groupes* comprenant chacun 3 batteries de 4 pièces et 4 caissons, et une colonne légère de munitions; au total, 9 batteries (dont 3 d'obusiers) et 36 pièces, dont 12 d'obusiers).

La colonne légère de munitions, qui avait au début de la campagne 23 caissons, paraissait, en 1917, avoir été réduite de moitié.

Mais des ressources autrement importantes que celles de ces colonnes légères existaient encore dans la division, en 1917, en tant que *munitions* d'artillerie et d'infanterie. Malgré la réduction opérée sur les colonnes de munitions de 1914 (2), il en restait encore 4 en 1917.

Artillerie lourde

En temps de paix, et pendant plus des trois premières années de la guerre, les Allemands n'eurent pas d'artillerie lourde *divisionnaire*. Jusqu'au début de 1918, leur artillerie lourde fut exclusivement une dotation de *corps d'armée* ou une réserve générale d'armée.

Les 25 régiments d'artillerie lourde (à 2 groupes de 4 batteries) du temps de paix formèrent :

25 régiments de réserve;
25 groupes de Landwehr;
et 25 groupes dé Landsturm.

---

(1) Le rapport des effectifs artilleries, A. S. et M. W., en Allemagne, aux effectifs de l'infanterie à la mobilisation, était sensiblement du tiers. En 1918, il est devenu des quatre septièmes.

(2) Six colonnes de munitions par division : trois de 77, une des obusiers de 105 et deux d'infanterie à 24 caissons.

Avec ces ressources, les Allemands purent :

1° Doter d'un groupe d'obusiers de 15 c/m (1) les corps d'armée actifs et les corps d'armée de réserve;

2° Former une réserve générale d'artillerie lourde;

3° Constituer une artillerie de siège et place, et une artillerie de défense des côtes.

La substitution de la guerre de tranchées à la guerre de mouvement amena des modifications qu'on devine. Les batteries de place furent envoyées au front et de nombreuses unités nouvelles furent créées. L'accroissement de l'artillerie lourde fut extrêmement rapide puisque de 800 pièces en temps de paix on passa à 2.000 à la mobilisation et à 6.000 le 1er décembre 1916, chiffre *huit fois* supérieur à celui du temps de paix, alors que l'artillerie campagne, à la même époque, n'avait fait que *doubler.*

L'intensité des fabrications, la mise en service des pièces des places, celle des pièces étrangères capturées, permirent de réaliser cet accroissement qui, en 1917, atteignait environ 40 batteries *par mois.*

Durant l'été de 1917, les divisions ne possédaient pas encore le bataillon organique d'artillerie lourde qu'elles ne commencèrent à recevoir qu'en janvier 1918.

Les bataillons d'artillerie lourde étaient, en 1917, de 4 batteries de 4 pièces, comme en temps de paix, avec une tendance vers la composition à 3 batteries — sauf les bataillons de mortiers de 21 c/m qui étaient à 2 batteries de 4 pièces.

Quant aux colonnes de munitions du début, elles avaient été remplacées par des colonnes de batteries de 12 caissons par batterie. Il existait aussi des colonnes d'artillerie à pied (organes d'armée) et la colonne automobile de la division était souvent utilisée pour transporter les munitions de l'artillerie lourde.

Artillerie lourde à grande puissance

L'A. L. G. P. comprenait les canons supérieurs à 15 c/m et les obusiers supérieurs à 21 c/m.

Elle constituait 50 batteries à 1 ou 2 pièces transportées en général sur voies ferrées, mais quelquefois aussi sur roues au moyen de tracteurs.

---

(1) Les Allemands expriment *en centimètres* les calibres de leurs pièces d'artillerie. Ils appelaient « 10 c/m Kanone » ou « 10 c/m L. F. H. » leur canon de 10 c/m et leur obusier léger de 10 c/m qui avaient en réalité 103 à 104 m/m de calibre, et que nous, Français, nous appelions, beaucoup plus justement, « *le 105* » allemand.

On peut considérer aussi comme A. L. G. P. 60 batteries de pièces de marine (canons de 15 c/m, en général), à tracteurs, qui constituaient un matériel plus important que celui de l'artillerie lourde.

Tendances de l'artillerie allemande en 1917

On a établi, dans un tableau intéressant, ce qu'a été, au cours de la guerre, la variation des canons *correspondant au bataillon d'infanterie.* Au début de 1917, ce tableau donne les chiffres suivants :

	NOMBRE de Bataillons d'Infanterie.	NOMBRE TOTAL de pièces de campagne.	NOMBRE TOTAL de pièces d'A. L.	NOMBRE TOTAL de pièces (A. C. et A. L.) par Bat. d'Infanterie.
Temps de paix...	546	3852	808	8.53
A la mobilisation	1512	5580	2000	5.01
1er septembre 1915	1900	6400	4240	5.60
1er décembre 1916	2214	8800	6600	6.95

La dotation du temps de paix, qui avait diminué des deux cinquièmes au moment de la mobilisation par suite de l'énorme accroissement de l'infanterie, a donc été *rétablie progressivement* (elle devait atteindre 8,58 par bataillon d'infanterie le 15 juillet 1918, qui est la date du summum final de la puissance militaire allemande).

Vers 1917, *138 modèles de canons en service* (dont 98 allemands et 40 étrangers) nous étaient déjà connus.

L'idée générale de transformation qui dominait toutes les autres était la *recherche de l'augmentation de la portée,* résultat pour l'obtention duquel les Allemands employaient les procédés les plus divers (augmentation de l'inclinaison des canons, allongement des tubes (1), projectiles de plus en plus effilés, adoption de la fausse ogive, amélioration des poudres).

---

(1) Pour les pièces tirant sur Paris, les Allemands ont *dépassé* la longueur de *100 calibres* et *réalisé* ainsi une vitesse initiale telle que le projectile pouvait effectuer la plus grande partie de son trajet dans des couches atmosphériques où la résistance est à peu près nulle. Le projectile était muni, en outre de la *double ogive,* qui permet d'obtenir des gains de portée considérables.

L'emploi des tracteurs était une autre tendance, mais qui ne devait se faire jour que dans les derniers mois de la guerre.

Matériel de l'artillerie allemande

Nous ne donnerons ici, faute de place, que les caractéristiques des pièces d'artillerie les plus employées en 1917.

a) *Artillerie de campagne*

Il existait, en service, en 1917, deux canons de campagne à tir rapide de 77 m/m : le *Feld-Kanone 96 Neuer Art* (F. K. 96 n/A), représentant 37 % de l'artillerie de campagne allemande, et le *Feld-Kanone 16*, représentant 27 % de cette même artillerie; ce calibre de 77 m/m (7,7) représentant par conséquent, au total, 64 % de l'artillerie de campagne.

1° Le *Feld-Kanone 96 Neuer Art* (canon de campagne du modèle 1896 modifié) reculait sur l'affût, fixé au sol par une bêche de crosse, et ce mouvement de recul était limité par un frein hydraulique et récupéré par des ressorts en acier assurant le retour en batterie sans dépointage. Sa ligne de mire n'était pas indépendante. La culasse à coin s'ouvrait et se fermait par un seul mouvement, et l'extraction de la douille était automatique. Les servants, au nombre de 5, étaient protégés entièrement par un bouclier articulé. La batterie avait sa voiture-observatoire et les projectiles employés en 1917 étaient : le shrapnell, l'obus M. 1915 à 380 grammes d'explosif, et l'obus allongé avec 900 grammes d'explosif. La portée maxima du tir percutant était 8.400 mètres et la batterie était approvisionnée à 138 coups par pièce.

2° Le *Feld-Kanone 1916* (F. K 16), adopté en 1916, était un nouveau canon de 77 allongé (35 calibres au lieu de 27) monté sur affût d'obusier léger, d'où le nom de Kanone in Haubitzlafette (K-i-H) qu'on lui donnait quelquefois. Ce canon tirait le même projectile que l'autre canon de 77, mais séparé de sa douille et avec deux charges différentes, dont l'une, la charge forte, donnait à l'obus une vitesse initiale de 532 mètres et une portée maxima d'environ 9.000 mètres.

Outre ces deux canons de campagne de 77, il y avait en service l'obusier léger de campagne de 10 c/m 5, ou *Leichte Feld-Haubitze 10.5* (l. F. H.), pièce du calibre de 105 m/m environ, à recul sur l'affût et à boucliers, de deux modèles (Mle 1898/09 et Mle 1916), représentant ensemble 36 % du matériel de l'artillerie de campagne. En 1917, ces deux modèles tiraient trois projectiles différents : l'obus explosif M. 15 à 1.400 grammes d'explosif, l'obus explosif allongé à 2 kilos d'explosif, et un shrapnell contenant 454 balles, plus un obus C tiré jusqu'à 10.250 mètres par l'obusier Mle 1916 ou obusier Krupp.

b) *Artillerie lourde*

L'artillerie lourde comprenait environ : 72 % de pièces courtes et 28 % de pièces longues.

Les pièces courtes étaient les obusiers lourds de 15 c/m et les mortiers de 21 c/m ;

Les pièces longues étaient les pièces de 10, 13 et 15 c/m.

On trouvera les renseignements sur ces pièces dans les mementos sur l'artillerie ennemie. Les projectiles tirés par elles allaient de l'obus de 40 kilos (obusier lourd de 15 c/m) à celui de 83 ou de 119 kilos (mortier de 21 c/m) pour les pièces courtes, — et de l'obus de 17 kilos (canon de 10 c/m) à celui de 40 kilos (canons de 13 c/m) et de 50 kilos (canons de 15 c/m). Les autres détails sur cette artillerie lourde, comme sur celle à grande puissance, nous éloigneraient trop de l'étude des textes de ces comptes rendus.

Emploi de l'artillerie

Dans la *guerre de position*, l'emploi de l'artillerie différait suivant qu'il s'agissait d'un secteur calme, d'un secteur de bataille défensive ou d'un secteur de bataille offensive.

A. — Dans les secteurs calmes, l'artillerie se composait généralement du régiment divisionnaire d'artillerie de campagne et de 6 à 8 batteries lourdes, ce qui donnait, sur un front moyen de 7 kilomètres environ :

Une batterie à une batterie et demie d'artillerie de campagne au kilomètre;

Une batterie d'artillerie lourde au kilomètre.

Cette artillerie était organisée en *groupements* et *sous-groupements* correspondant non à des emplacements, à des matériels ou à des unités administratives, *mais à des missions déterminées*.

Ceci est très important et doit être noté. Nous retrouvons là un des grands principes rationnels de la guerre que nos adversaires appliquaient avec vigueur : *Un chef, une mis-*

sion, et on laisse faire. Sans doute, en principe, ainsi que le montre (page 120) l'ordre à l'artillerie de la 52e division d'infanterie du 6 février 1917 (1), la répartition, variable en importance suivant l'effectif de l'artillerie en ligne, comprenait des *groupements mixtes* (gemischte Gruppen), des *groupements régimentaires* (Regiments-gruppen) et des *sous groupements de bataillon d'artillerie* (Bataillons-untergruppen), correspondant à un partage du commandement suivant des portions de secteurs, en liaison étroite avec les chefs de l'infanterie. Mais ce sont toujours *les missions* qui sont à la base de l'emploi de l'artillerie et qui déterminent l'activité et l'organisation de ses divers groupements.

Rien ne montre mieux l'application de ce principe du commandement et de la répartition de l'artillerie *suivant la mission* à accomplir que l'ordre du 21-9-17 du *commandant de l'artillerie de barrage* de la 103e division d'infanterie, que l'on trouvera page 116, ordre où ce commandant d'artillerie insère des prescriptions à l'*Artillerie des tirs de barrage* (ou Artillerie de barrage) placée sous son commandement. Cet ordre, intéressant à d'autres titres, doit à cet égard être retenu.

Un autre exemple d'artillerie articulée suivant *la mission* se trouve dans l'ordre n° 512/17 du commandant de la 52e division à son artillerie, où l'existence est clairement indiquée (§ 3) de batteries de soutien (*Unterstützungs-Batterie*).

L'expression : *gruppen*, qui revient constamment dans les ordres de l'artillerie allemande ne doit pas être comprise dans le sens de notre « groupe » d'artillerie, mais dans celui de *groupement* (variable, mixte, s'adaptant avant tout à l'exécution d'une *mission*).

Les postes de commandement des officiers commandants ces *groupements* doivent, en principe, être établis à proximité des P. C. des commandants *de secteur*, c'est-à-dire en liaison étroite avec le « cerveau » du secteur où viennent aboutir les moyens d'information multiples organisés pour lui. Mais c'est une *mission* déterminée qui sera la base de l'activité des groupements. Toute cette artillerie est sous les ordres du commandant de l'artillerie de la division (103e Artillerie-Kommandeur, 52. Artillerie-Kommandeur, etc.).

---

(1) La 52e division d'infanterie, division badoise, composée des 169e et 170e régiments (badois) et du 66e régiment (prussien), se trouvait, en février 1917, en Alsace, dans le secteur d'Altkirch. Elle devait éprouver de lourdes pertes quelques mois plus tard sur le Chemin-des-Dames, lors de notre attaque du 23-10-17 sur La Malmaison.

Quel était l'emploi habituel des batteries dans les secteurs calmes?

Il était assez varié et on y retrouvait les modes suivants :

1° Des *positions* de rechange et de renforcement; par batterie, en moyenne, deux et jusqu'à trois positions : l'une avancée, l'autre mixte, la troisième reculée, toutes trois camouflées et occupées suivant les besoins; dans beaucoup de batteries, des pièces nomades, ou encore des pièces avancées la nuit pour les harcèlements.

2° Plusieurs *genres de tir*, dont les principaux sont indiqués dans l'ordre n° 512/17 précité de la 52e division : *harcèlement* (Störungsfeuer), *destruction* (Zerstörungsfeuer), *anéantissement* (Vernichtungsfeuer), *barrage* (Sperrfeuer); ou dans l'ordre du 26-11-1916, signé Ludendorff : *tirs à gaz* (Gazschiessen); ou dans les prescriptions du 2 juillet 1917 du commandant de l'artillerie de la 103e division, n° 3296/17 : *feux par rafales* (Feuerüberfälle, à exécuter par 3 batteries d'obusiers lourds [de 15 %m] et 3 batteries de canons de 10 %m à des heures et sur des objectifs déterminés); ou dans celles du 2 juillet 1917, n° 3035, du même commandant d'artillerie : *contre-batteries* (Artilleriebekämpfung), *harcèlement de jour* (Störungsfeuer bei tag), *harcèlement de nuit* (Störungsfeuer bei Nacht), *rafales de nuit* (Feuerüberfall bei Nacht).

3° L'importance donnée à l'*observation* (terrestre, sections de repérage; messtrupps : sections de mâts périscopiques, ballons, avions), et aux *liaisons*, en particulier avec l'infanterie.

4° Tendances à joindre, aux tirs de barrage, des *tirs observés*. Des *batteries de surveillance* (Lauerbatterien), désignées d'avance, se tiennent prêtes à être actionnées directement par les avions, dès qu'ils voient un objectif favorable.

B. — Dans les secteurs de bataille défensive, qui allait être celui du Chemin-des-Dames à partir de juin 1917, les dotations en artillerie étaient à peu près six fois plus fortes :

Sept batteries d'artillerie de campagne au kilomètre;

Six ou sept batteries d'artillerie lourde au kilomètre;

Il était constitué, dans ces secteurs, pour commander cette artillerie, et dans chaque division :

Un *groupement de combat rapproché* (surtout artillerie légère) chargé de repousser les attaques et de battre les objectifs situés dans la zone des positions d'infanterie ennemie;

Un *groupement de combat éloigné* (surtout artillerie lourde) chargé de la contre-batterie et des actions sur objectifs lointains, tels que les points de rassemblement, les routes d'accès des réserves, etc.

Chacun de ces groupements était divisé en *sous-groupements*, en nombre variant avec les circonstances.

L'ensemble de cette artillerie était placée sous les ordres du commandant de l'artillerie de la division.

Il existait, en outre, des *groupements de corps d'armée* (pièces à longue portée) *et d'armée* (A. L. G. P.) dépendant des états-majors d'artillerie institués à chacun de ces deux échelons.

Les tirs, dans les secteurs de bataille défensive, étaient de même genre que ceux des secteurs calmes, avec prédominance du *tir d'anéantissement* (Vernichtungsfeuer), afin de troubler les rassemblements préparatoires aux attaques ennemies par des pertes telles que ces attaques en soient irrémédiablement compromises (ordre n° 512/17 de la 52e division, § 7).

On employait déjà une méthode de *destruction de nos tanks et de nos canons d'accompagnement* (ordre n° 512/17 précité). Des *pièces de combat rapproché* étaient désignées et poussées aussi en avant que possible, afin de pouvoir tirer à vues directes. Elles se consacraient uniquement à cette tâche, et les chefs de pièce agissaient avec indépendance, suivant leurs propres observations.

C. — Dans les SECTEURS DE BATAILLE OFFENSIVE (auquel n'appartient pas celui du Chemin-des-Dames en septembre 1917), la dotation en *artillerie de campagne* dépendait essentiellement du nombre des divisions en deuxième ligne et en réserve. La dotation en artillerie *lourde* dépendait des disponibilités, des organisations ennemies et de la durée prévue de la préparation.

On a relevé jusqu'à 12 batteries d'artillerie de campagne et jusqu'à 11 batteries d'artillerie lourde *au kilomètre* dans certains secteurs d'attaque.

Des renseignements détaillés sur le devoir de l'artillerie dans les attaques sont fournis par les articles 258 et suivants (Principes particuliers pour l'attaque) du *Règlement de combat de l'artillerie allemande*, imprimé à Berlin en 1917 et traduit par l'état-major du G. Q. G. français le 10 février 1918.

On a pu, d'autre part, s'emparer des ordres donnés à une artillerie importante avant une offensive, et on y a trouvé l'organisation suivante :

a) Des *groupements d'artillerie de destruction et d'appui* d'infanterie (Infanteriebekämpfungsgruppen) à raison de un par division, divisés eux-mêmes en *sous-groupements;*

b) Des *groupements de contre-batterie* (Artilleriebekämpfungsgruppen) à raison de un par corps d'armée, divisés également en *sous-groupements;*

c) Des *groupements d'action lointaine* (Fernkampfgruppen) à raison de un par corps d'armée, armés de pièces lourdes longues;

d) De *l'artillerie longue à grande puissance* (Schwerste Flachfeuerartillerie) constituant un groupement unique pour toute l'armée et ne comportant que des pièces d'A. L. G. P. L'emploi de cette artillerie est indiqué aux paragraphes 259 et suivants (Mission de combat) du Règlement allemand précité.

Nous ne parlons pas de l'artillerie allemande DANS LA GUERRE DE MOUVEMENT, dont il n'est pas question dans les documents rassemblés ici. On trouvera les renseignements relatifs à son emploi aux articles 88 et suivants du Règlement déjà cité.

II. — LES PIONNIERS

A la mobilisation, chaque corps d'armée, actif ou de réserve, avait reçu *un bataillon de pionniers à trois compagnies*. A côté de ces bataillons de campagne, des régiments de pionniers de forteresse étaient destinés à l'attaque ou à la défense des places.

Au cours de la campagne, le nombre des formations de pionniers avait été notablement augmenté. En automne 1917, il atteignait 700, non compris les compagnies de *minenwerfer*.

(Car, à la différence très nette avec la France, les pionniers, en Allemagne, étaient chargés du service des minenwerfer, tandis qu'en France les engins de tranchée étaient rattachés à l'artillerie.)

La dislocation des corps d'armée, au cours de la guerre de position, conduisit à affecter les compagnies de pionniers *aux divisions* et à avoir à la disposition des armées une réserve de formations de pionniers destinées à renforcer les secteurs actifs (1916).

A partir du début de 1917, la dotation des divisions fut régularisée à un *bataillon divisionnaire de pionniers*, qui comprit :

Deux compagnies divisionnaires de pionniers,
La compagnie de minenwerfer de la division,
et la section de projecteurs de la division,
de manière à assurer de meilleures conditions de commandement.

En outre, il existait des formations *non endivisionnées* à la disposition des armées : régiments de forteresse, compagnies de pionniers proprement dites, compagnies de mineurs et de garnisons, bataillons de spécialistes.

Les *spécialités* comportaient :

1° Les *flammenwerfer* confiés au régiment de réserve des pionniers de la Garde. Il y avait trois modèles de flammenwerfer : le grand (Grof), portant de 30 à 40 mètres; le petit

(Kleif), portant de 18 à 20 mètres, et le portatif (Wx), plus portatif et plus mobile. Chaque compagnie de spécialistes avait 20 grands et 20 petits flammenwerfer.

2° Les *attaques par vagues de gaz asphyxiants*, dont étaient spécialement chargés les 35e et 36e régiments de pionniers, chacun à 6 compagnies.

3° Les *minenwerfer*. — A la mobilisation, les Allemands avaient 160 minenwerfer. En 1916, ils en avaient 5.000 en service (1). Ce n'est qu'en octobre 1915 que la compagnie divisionnaire de minenwerfer avait fait son apparition. A la fin de 1916, les bataillons d'infanterie reçurent chacun 4 minenwerfer légers et la compagnie divisionnaire était à 4 minenwerfer lourds et 8 minenwerfer légers. En outre, on forma des bataillons de minenwerfer à quatre compagnies, qui furent organes d'armée.

Le matériel employé par les pionniers était tout à fait analogue au matériel du génie français.

Leur emploi, en tant que troupes, était également analogue à celui du génie français.

---

(1) Plus tard, en 1918, ils en ont eu jusqu'à 12.000.

DOCUMENTS ET ORDRES
D'ARTILLERIE

CIRCULAIRES DU GRAND QUARTIER GÉNÉRAL
ORDRES D'ARTILLERIE DIVISIONNAIRE

N. B. — Se reporter à la carte d'État-Major au 50.000e et au plan directeur au 20.000e inclus dans la pochette à la fin du volume.

I. — Circulaire du Grand Quartier Général sur les différents tirs d'artillerie.

(26 Novembre 1916.)

Chef des Generalstabes des Feldheeres — Gr. H. Qu., den 26. 11. 1916 (1).

II Nr. 39627 op.

Für die Feuerarten der Artillerie & der Minenwerfer bitte ich in Zukunft folgende Bezeichnungen zu gebrauchen :

1°) *Zerstörungsfeuer :* ruhiges, sorgfältig geleitetes Feuer, in der Regel mit Beobachtung des Einzelschusses, mit so viel Munition durchgeführt, dass Zerstörung des beschossenen Zieles sicher erreicht wird; kann von allen Geschütz- & Minenwerfer-arten, besonders von

(1) L'original est imprimé en caractères *latins* et provient d'un tirage fait à 500 exemplaires par le commandant de la Ire armée.

schwerer & schwerster Artillerie, sowie schweren & mittleren Minenwerfern angewandt werden.

Als Ziele kommen z.B. in Betracht :
die feindliche Artillerie, wichtige Stücke der feindlichen Infanteriestellung, Maschinengewehrstände, Minenwerfer- & Beobachtungsstände, Befehlsstellen des Feindes u. s. w. Das Schiessen auf leere Gräben ist zu vermeiden. Nebenwirkung auf lebende Ziele ist erwünscht.

2°) *Vernichtungsfeuer :* räumlich & zeitlich zusammengefasstes Feuer, häufig schlagartig in Form von starken Feuerüberfällen. Beobachtung der allgemeinen Lage des Feuers ist nötig, es wird von allen Geschütz- & Minenwerferarten, ausser schwersten Kalibern, gegen solche Ziele angewendet, die nur kurze Zeit sich zeigen oder die schnell ausser Gefecht gesetzt werden sollen. Solche Ziele sind z. B. :

a) In der Verteidigung : Truppenansammlungen in & hinter der feindlichen Stellung, namentlich in den feindlichen Sturmgräben, vor, während & nach feindlichen Angriffen, ungedeckt vorgehende Truppen, Infanteriegeschütze, Panzerautos u. s. w.

Bei sorgfältig vorbereiteter Zielverteilung & Feuervereinigung, schneller Feuereröffnung & ausreichendem Munitionseinsatz können feindliche Angriffe oft im Keim erstickt werden, wodurch eine Einschränkung des an sich unerwünschten, weil rein passiven Sperrfeuers herbeigeführt wird.

b) Im Angriff : die Teile der feindlichen Stellung, wo noch Widerstand zu erwarten ist, erkannte oder vermutete Reserven u. s. w. Es wird sich hier meist in das länger unterhaltene, sich langsam steigernde Zerstörungsfeuer einschiehen; bzw. daran anschliessen & zur Steigerung der moralischen Wirkung dem Sturm in kraftvollster Wirkung unmittelbar vorangehen.

3°) *Sperrfeuer :* Automatisch auf Anfordern der Infanterie oder eigenen Entschluss der Artillerie einsetzendes, im Stellungskampf exerziermässig eingeübtes Schnellfeuer, das den feindlichen Bewegungen folgen kann.

Es wird angewendet in der Verteidigung, sobald ein feindlicher Infanterieangriff erkannt oder mit Sicherheit vermutet wird & ist räumlich & zeitlich auf den Ort & die Zeit des Infanterieangriffs zu beschränken. Beobachtung meist nicht oder nur teilweise möglich. Muss daher sorgfältig eingeteilt & (z. B. durch Flieger) darauf geprüft werden, ob es lückenlos vor dem angegriffenen Abschnitt liegt.

Ist in erster Linie Aufgabe der Feldkanonen und gegebenen Falls auch der l. F. H., schwereren Kaliber & leichten Minenwerfer.

Verwendung von Mörsern & schwersten Kalibern zu Sperrfeuer ist Munitionsvergeudung.

Bei eigenem Gegenangriff oder Angriff dient das Sperrfeuer zum Abriegeln feinlidcher Reserven u. s. w.

4°) *Störungsfeuer :* zu unregelmässigen Zeiten abgegebenes Feuer zur Störung des feindlichen Verkehrs auf Bahnen, Strassen, sonstigen feindlichen Anmarschstrassen & Ablösungswegen, der Fernsprechleitungen, Beunruhigung der Unterkünfte arbeitender Mannschaften u. s. w.

Es kann längere Zeit dauernd, aber unter Einschränkung des Munitionsverbrauchs, unterhalten werden oder Gelegenheitsfeuer auf günstige Ziele in Form von Feuerüberfällen mit mehr oder weniger grossem Munitionseinsatz sein. Beobachtung ist nicht immer möglich aber stets erwünscht (Flieger, Hilfsziele). Die Räume für Störungsfeuer sind vorher zu verteilen. Auf flankierende Wirkung ist besonders zu achten. Biegsamkeit, Zusammenfassen & schnelles Einsetzen des Feuers müssen sichergestellt sein. Da frühere Einschiesspunkte wegen des nicht vorauszubestimmenden Wechsels der Tageseinflüsse nicht zuverlässig sind, ist Vorsicht nötig, damit Störungsfeuer nicht zu Munitionsverschwendung führt. Kommt für alle Geschütz- & Minenwerferarten, ausser schwersten Kalibern, namentlich aber für schweres Flachfeuer in Betracht.

5°) *Gasschiessen.*

a) Beunruhigungsschiessen bei Einsatz verhältnismässig geringer Munitionsmengen gegen Gelegenheitsziele, wie einzelne störende feindliche Batterien, arbeitende Truppen in Sappenspitzen u. s. w.

b) Wirkungsschiessen bei Masseneinsatz zur Vorbereitung eigener Unternehmungen oder zum Lahmlegen feindlicher Artillerie. Insbesondere kommt das Beschiessen der feindlichen Artillerienester in Betracht.

I. A.:

LUDENDORFF.

Armee-Oberkommando

Arll. Nr. 20270/2555 I.

Zusätze des A. O. K.

1°) Vorstehende Gesichtspunkte decken sich mit den schon bisher bei der Armee angewandten. Alle in dieser Hinsicht von der Armee erlassenen Verfügungen bleiben daher in Kraft.

2°) Der Wert der Einschiesspunkte (Ziffer 4 Absatz 2), die stets in möglichster Nähe der beschossenen Ziele zu wählen sind, ist nur dann gesichert, wenn nach ihnen bei jedem Schiessen die Tageseinflüsse geprüft & vor dem Uebergang auf das eigentliche Ziel berücksichtigt werden.

3°) In allen Meldungen & Berichten sind von nun ab ausschliesslich die von der O. H. L. festgelegten Bezeichnungen der Feuerarten anzuwenden.

Von Below.

Verteilungsplan :

A. O. K.	10
Gen. d. Art.	5
Gruppe A.	80
— B.	60
— C.	50
— D.	50
Heeres Art. Res.	15
Vorrat	30
	300

Zur Verteilung bis einschliesslich Fda.—Abtlg. u. Btlne der schweren Artillerie.

II. — Ordres pour l'Artillerie de la 103e D. I.

(PROGRAMME DE TIR ET ALLOCATIONS DE MUNITIONS)

2 JUILLET 1917.

---

103. Infanterie-Division
I. Nr. 3035 geheim.

Div. St. Qu., den 2. Juli 17.

Befehl für die Artillerie

für den 3. 7. und die Nacht 3./4. 7. 17.

1°) *Störungsfeuer.*

a. Toly Fe. und Schlucht.
b. Lager 500 m. nördl. & 200 m. westl. 256.
c. Lager nördl. 344 & 341.
d. Schlucht südwestl. 253 (Bewegung).
e. Bibersteinhöhle & Weg von dort nach Colomb Fe.
f. Maskierter Weg Hameret Fe. 377 & Pi. Park Südostecke der Hameret Fe.
g. Umgebung der Höhle 24 hart östl. 443.
h. Hang auf Westseite der Strasse 350 & 253 (Inf.-Lager.).
i. Tr. P. 110.
k. Wege hart nördl. Vailly & Brücken südl. Vailly.
l. Strasse Presles-Brenelle.

2°) *Zerstörungsfeuer.*

a. Gräben bei & Unterstände in Sandgrube 1 bei 253 (1 Zug in starken Unterständen).
b. Gräben & M. G. s. bei 242.
c. Gräben bei Höhle 28.
d. Gräben bei Tr. P 130 & Zulaufgraben von dort nach 272 (südwestl. Hälfte des Grabens).
e. Unterstände 1245/6 Mitte.

f. Regts.-Gefechtsstand 1245/23 *cd* (nur bei guter Luftbeobachtung, nach Gefangenenaussagen Regts.-Gefechtsstand).

g. Gräben nordöstl. 266 Pl. Qu. 1246/9 Mitte. Grabenkreuzung 10 *c*.

3°) *Artilleriebekämpfung.*

a. Zerstörungsfeuer : Erledigung der für den 2.7.17 gestellten Aufgaben. 1446/16 *d* (*g*).... hat wieder gefeuert 1746/17 *a b* (*g*).

b. Feuerüberfälle : 1546/17 *a b* (*g*).....

4°) *Störungsfeuer bei Nacht.*

a. Schanzarbeiten zwischen 253 & 261 (nach Gefangenenaussagen schanzt dort ein Bataillon).

b. Gräben & Waldrand bei 242.

c. Strasse Hameret Fe.

d. Graben Tr. P. 130-266.

e. Schluchten-Weg bei 259.

f. Weg Aizy-Hameret.

g. Umgebung der Höhle 24.

h. Toly-Schlucht (Schanzen & Stollenbau).

i. Wege bei 256, 350.....

k. Lager bei 344.

l. Strasse Colomb Fe.

m. Brücken bei Vailly & 777.

5°) *Feuerüberfall bei Nacht* auf Batterienester bei Rote Häuser & auf die zu den Batterien führenden Wege.

gez : V. Auer.

F. d. R.

Beckmann

Major im Generalstabe.

Artillerie-Kommandeur 103. den 2. Juli 1917.

Br. B. Nr. 3296/17.

Zusätze des Artillerie-Kommandeurs.

Zu 1°) *a.* durch l. F. H. mit etwa 40 Schuss.
b. » F. K. » im Ganzen etwa 60 Schuss.
c. » F. K. » » » » 60 »
d. » F. K. » etwa 40 Schuss.
e. » F. K. » » 60 »
f. » F. K. » » 50 »
g. » R. K. » » 20 »
h. » F. K. » » 50 »
i. » F. K. » » 50 »
k. » 10 % Kan. mit etwa 40 Schuss.
l. » 10 % Kan. » » 20 »

Zu 2°) *a.* durch l. F. H. mit etwa 200 Schuss.
b. » » » » 200 »
c. » » » » 200 »
d. » » » » 200 »
u. s. F. H. » » 100 »
e. » s. F. H. » » 100 »
f. » s. F. H. » » 100 »
g. » l. F. H. » » 200 »
u. s. F. H. » » 100 »

Zu 3°) durch s. F. H.

Zu 4°) *a.* durch . K. mit etwa 60 Schuss.
b. » . K. » » 50 »
c. » K. » » 20 »
d. » K. » » 40 »
e. » K. » » 30 »
f. » F. K. » » 50 »
g. » R. K. » » 20 »
h. » l. F. H. » » 40 »

i. auf die ersten 5 Wegepunkte durch F. K. mit im Ganzen etwa 100 Schuss, auf 561 durch 10 % Kan. mit etwa 20 Schuss.
k. durch F. K. mit etwa 40 Schuss.
l. » F. K. » » 50 »
m. » 10 % Kan. mit etwa 50 Schuss.

Zu 5°) Feuerüberfälle mit 3 s. F. H. Batterien und 3 10 % Kan. Batterien um 10,15 Uhr, 10,45 Uhr, 11.30 Uhr und 1.00 nach genau verglichener Zeit.

In jedem Feuerüberfall verschiesst jede schwere Feldhaubitz-Batterie 8 Schuss, jede 10 % Kan.-Batterie 10 Schuss.

Es sind zu beschiessen : durch s. F. H. die Batterien 1546/*g* I. und 1546/*h f* und 1546/*o* ; die 10 % Batterien von Südwesten und Süden führenden Wege.

gez : MICHELLES.

III. — Ordre pour l'artillerie de barrage de la 103e D. I.

21 SEPTEMBRE 1917.

Kdeur. der Sp. Artl. 103. I. D.
I Tgb. Nr. 2672/17

den 21. 9. 17.

Befehl für die Sperrf. Artl.[1]

1° Es wird darauf aufmerksam gemacht, dass erhitzte Rohre stets entladen mit geöffnetem Verschluss u. ohne Mündungskappe sein sollen, da sonst leicht Rohrkrepierer vorkommen.

2°) Die B.-Stelle, die mit Lichtsignal- oder Kleinfunkerstationen ausgerüstet sind, müssen in Zukunft von Offzen. oder in Beobachtungswesen erfahrenen Porteepeeunteroffzen. besetzt sein.

3°) Zum 23. 9. melden die Gruppen auf einfache Planpause, wie die B.-Stellen auf die einzelnen Bttrn. verteilt sind :

4°) Es liegt Veranlassung vor, darauf hinzuweisen, dass nur zwei Arten von Leuchtzeichen im Divisions-Abschnitt gültig sind :

Grün = Sperrfeuer,
Rot = Vernichtungsfeuer.

Jeder Posten muss mit mindestens je 10 Leuchtpatronen ausgerüstet sein. Die gleiche Anzahl muss sich als Vorrat in der Batterie befinden.

---

(1) L'original en dactylographie est polycopié sur le côté blanc d'une demi-feuille de lettre de faire-part mortuaire (format 13/21 cm.).

5°) Die Verwendung von lg. F. K. Gr. zum Sperrfeuerschiessen über 5000 m. ist wegen der sehr erheblichen Streuungen dieser Munition bei angegebener Entfernung allgemein verboten.

6°) Die von der Division befohlenen Tagesaufgaben werden den Gruppen künftig telephonisch durchgegeben. Die Battrn. haben die Aufgaben noch am gleichen Tage zu erledigen.

F. d. R.: gez.: STIEFF.

X....

IV. — Circulaire du Grand Quartier Général sur l'emploi des obus à gaz.

(2 JANVIER 1917.)

Chef des Generalstabes
des Feldheeres
II. Nr. 43601 op.

2. 1. 17 (1).

Abschrift.

Aus einer bei 1. A. erbeuteten franz. Vorschrift über Verhalten beim Einschlag deutscher Gasgeschosse geht hervor, dass nur ein sofortiges Anlegen der Gasmaske vor schwerer Erkrankung oder Todesfall schützt. Selbst Leute, die sofort ihre Gasmasken aufgesetzt hatten, befiel ein Unwohlsein, das Pflege erfordert. Es ist anzunehmen, dass auch diese sich in ärztliche Behandlung begeben müssen u. nicht mehr gefechtsfähig sind. Die alte englische Gasmaske hat den Nachteil, dass sie über den ganzen Kopf gezogen u. nach Oeffnen der obersten Knöpfe unter den Waffenrock gestopft werden muss. Dies ist zeitraubend, so dass eine geringe Menge Gasgranaten, in ein Wirkungsschiessen mit Brisanzmunition eingelegt, immer Erfolg haben wird, günstige Witterung vorausgesetzt.

Es wird sich daher empfehlen, sowohl bei Zerstörungsfeuer, namentlich gegen feindl. Artl., wie bei Vernichtungsfeuer in grösseren Zeitabständen einzelne Lagen Gasgeschosse einzulegen, sofern Witterung usw. es gestatten. Wir zwingen hierdurch den Feind, entweder dauernd Masken angelegt zu haben, was ihn in jeder Tätigkeit erheblich behindert, oder erhebliche Verluste in den Kauf zu nehmen.

---

(1) L'original est une copie manuscrite dont nous donnons un *fac-similé*.

des Generalstabes
d. Feldheeres.
43601

D. ii. 19 [?]

Aus einer bei 1. A. erbeuteten franz. Vorschrift Verhalten beim Einschlag deutscher Gasgeschosse geht daß nur ein sofortiges Anlegen der Gasmaske vor der Erkrankung oder Todesfall schützt. Selbst Leute, die ihre Gasmasken aufgesetzt hatten, befiel ein Unwohlsein [?] Pflege erfordert. Es ist anzunehmen, daß auch diese sich [?] liche Behandlung begeben müssen und nicht mehr

Im übrigen bitte ich auch die Truppen auf den
grösseren Gasschiessen mit der Absicht, Teile der
Artl. für einige Zeit (z. B. bei drohendem feindl.
oder vor eigenem Angriff) lahmzulegen, feindl.
abzuriegeln usw. immer erneut hinzuweisen,
sich mit der Verwendung der Gasmunition einschl.
auf Grund der gegebenen Vorschriften vertraut

I. A.
gez. Ludendorff.

GRIFFON. *Recueil des documents militaires allemands.*

Ich bitte um Mitteilung, wie weit bereits in Verfolg des diesb. Telegrammes vom 5. 12. II. Nr. 42179 derartige Schiessen stattgefunden haben, mit welchem Durchnittsaufwand an Gasmunition und mit welchem Erfolg.

Im übrigen bitte ich auch die Truppe auf den Nutzen grösserer Gasschiessen mit der Absicht, Teile der feindl. Artl. für einige Zeit (z. B. bei drohendem feindl. Angriff oder vor eigenem Angriff) lahmzulegen, feindl. Reserven abzuriegeln usw. immer erneut hinzuweisen, damit sie sich mit der Verwendung der Gasmunition einschl. Gasminen auf Grund der gegebenen Vorschriften vertraut macht.

I. A.

gez. LUDENDORFF.

V. — Directives pour l'Artillerie de la 52e D. I.

(6 FÉVRIER 1917.)

52. Inf.-Division
I Nr. 512/17.

Div. St. Qu., den 6. 2. 1917.

Artillerie.

1.) Dem " Artilleriekommandeur der Division " (Kommandeur der Feldart.-Brig.) untersteht die gesamte Artillerie der Division, also die Feld- und schwere Artillerie.

Dem Artillerie-Kdeur. kann bei Einsatz zahlreicher schwerer Artillerie ein Kdeur. der schweren Artillerie als Berater zugeteilt werden.

2.) Die Gliederung der Artillerie gliedert sich nach der Stärke und den Verhältnissen.

a) Bei grosser Breite des Div.-Abschnittes und schwacher Artillerie werden aus Feld- und schw. Artl. gemischte Gruppen gebildet, die der Abschnittseinteilung der Infanterie entsprechen.

b) Bei starker Artillerie-Zuteilung werden für Feld- und schwere Artillerie getrennte Regts.-Gruppen gebildet, die in Abteilungs- bezw. Batlns.-Untergruppen geteilt sind.

Die Artillerie.-Gruppenbefehlsstellen sind grundsätzlich in unmittelbarer Nähe der Abschnitts-Befehlstellen einzurichten. Ausnahmen sind zu begründen.

3.) Anforderung von Artillerie-Wirkung richtet die Infanterie grundsätzlich an die Feldartillerie. (Unterstützungsbatterie, Gruppe oder Brigade).

Sind getrennte Gruppen der Feld- und schw. Artl. gebildet (s. Ziff. 2. *b*), so wird die Mitwirkung der schweren Artl. durch den Artl.-Kommandeur, in dringenden Fällen von den Regts.- oder Untergruppen veranlasst.

Der Artl.-Kdeur. gibt hierzu die Ausführungsbestimmungen.

4.) Je nach dem Zwecke ist zu unterscheiden :

Störungsfeuer,
Zerstörungsfeuer,
Vernichtungsfeuer,
Sperrfeuer.

5.) Störungsfeuer wird zur Störung feindl. Arbeiten und feindl. Verkehrs abgegeben.

In ruhigen Zeiten wird es meist nur Gelegenheitsziele, wenn z. B. durch Patrouillen feindl. Schanzarbeiten festgestellt oder wenn Ablösungen beobachtet werden. In erster Linie sind hierzu die Unterstützungsbatterien bestimmt.

In gespannten Lagen werden feindl. Anmarschwege, Feld- und Förderbahnen, besonders aber alle Mulden planmässig unter Störungsfeuer gehalten.

Besonders wichtig ist es hierzu schon in ruhigen Zeiten alle Verkehrsmöglichkeiten des Feindes festzustellen (Beobachtung, Fliegerbilder usw.) und in einer besondern Karte zusammenzustellen. (Nachrichtenstelle !)

— Die Karte ist der Division vorzulegen und ständig zu ergänzen.

6.) Zerstörungsfeuer (bisher "Wirkungsschiessen").

Es wird angewendet zur Bekämpfung der feindl. Artillerie, zur Zerstörung feindl. Infanterie-Stellungen, namentlich wenn sie als besetzt erkannt sind und zur Zerstörung wichtiger Anlagen — Beobachtungsstellen, (Nester) M. G. Stände, Minenwerferstellungen usw.

Die Feststellung aller dieser Anlagen beim Feinde ist deshalb mit allen Mitteln zu betreiben. (Nachrichtenstelle !)

7. Vernichtungsfeuer (bisher "Trommelfeuer" oder "Gegentrommelfeuer").

Es setzt ein, wenn ein feindl. Angriff in seiner Vorbereitung erkannt wird (Auffüllen der feindl. Gräben, Bewegung in den feindl. Gräben) oder das feindl. Trommelfeuer den kommenden Angriff ankündigt.

Sein Zweck ist, dem Feinde während seiner Bereitstellung derartige Verluste zuzufügen, dass er den beabsichtigten Angriff gar nicht ausführt.

Das Vernichtungsfeuer muss auf Anforderung der Infanterie oder auf Grund der Beobachtung der Artillerie ebenso planmässig und schlagartig einsetzen, wie das Sperrfeuer!

Die Feuerverteilung muss deshalb festgelegt sein, ebenso muss Feuervereinigung auf besonders wichtige Punkte rasch und sicher möglich sein. — Das Feuer der Feldartillerie ist hierbei in den vorgesehenen Sperrfeuerstreifen auf die vorderen, oder die erfahrungsgemäss vom Feinde besetzten und voraussichtlich als Sturmausgangsstellung benutzten Gräben zu legen.

Die schwere Artillerie wird auf die Bereitstellungsplätze und die Annäherungswege der Reserven (also namentlich auf Mulden) und auf besonders wichtige Punkte und Strecken der vorderen Gräben gelegt.

Vorbedingung ist, dass die Bereitstellungsgräben und Ausgangsgräben für den feindl. Angriff (Sturmgräben), Versammlungsräume und Anmarschwege der Reserven festgelegt werden und dass die Ergebnisse den in Betracht kommenden Batterien bekannt werden.

(Im Waldgelände vor unserer Front wird diese vorbereitende Feststellung sehr erschwert und nur durch Patrouillenerkundungen und Fliegeraufnahmen möglich sein).

Zu beachten ist ferner, dass die feindl. vordersten Angriffswellen schon während des Trommelfeuers sich an unser Hindernis heranarbeiten (engl. Angriff vom 13. 11. 16!) und dass die feindl. Reserven auch im unbedeckten Gelände nicht mehr in "Wabengräben" (1) bereitgestellt und durch Annäherungsgräben vorge-

(1) *Wabengraben*, tranchée des troupes de réserve, ainsi nommée par analogie avec un « nid d'abeilles ».

führt werden, sondern aus weiter rückwärts gelegenen geeigneten Plätzen (Mulden) in lichten Wellen und in geschickter Ausnutzung des Geländes über freies Feld vorgehen.

Die Anforderung des Vernichtungsfeuers darf nur vom Batlns.-Kdeur. aufwärts erfolgen. Komp.-Führer uud Beobachter haben daher alle Massnahmen über feindl. Angriffsvorbereitungen an das Batl. zu melden. Batlns.- und Regts.-Kdeure. müssen ausserdem über eigene Beobachtung verfügen, um rechtzeitig — auch ohne Meldungen aus der vorderen Linie — das Vernichtungsfeuer anfordern zu können.

Die Anforderung geschieht, solange keine besonderen Leuchtpistolenzeichen bestimmt sind, durch Fernsprecher, Lichtsignale, Funkenstationen oder Brieftauben und Meldeläufer.

Werden von der Artillerie Vorbereitungen feindl. Angriffs erkannt so hat sie das Vernichtungsfeuer auch ohne Anforderung der Infanterie zu eröffnen.

8.) Sperrfeuer zur Abwehr feindl. Angriffs.

Es ist in erster Linie Sache der Feldartillerie. Die schwere Artillerie wird, soweit sie nicht zur Ergänzung der Feldartl. benötigt ist, auf besonders wichtige Punkte gelenkt (s. Vernichtungsfeuer).

Bei Veränderungen in der vorderen Linie (Gewinn oder Verlust von Stellungsteilen) ist rasche Neuregelung des Sperrfeuers besonders wichtig. — Hierzu wirken auch die Infanterie-Flieger mit, die zur Feststellung der vorderen Linie bestimmt sind und die gleichzeitig auch die Lage des Sperrfeuers prüfen und berichtigen lassen.

Die Anforderung des Sperrfeuers geschieht durch Fernsprecher, sowie vor allem durch Leuchtpistolenzeichen.

Besonders wichtig ist die Regelung gesicherter Anforderung bei Nebel (Schnellfeuer, Hornsignale, Nebelhörner, Meldeläufer).

Sind Funkenstationen vorhanden, so wird für sie ein eigenes Sperrfeuerzeichen bestimmt.

Sobald die Artillerie feindl. Angriffsbewegungen wahrnimmt, gibt sie Sperrfeuer auch ohne Anforderung der Infanterie ab.

9.) Zur Abgabe von Störungsfeuer auf günstige Gelegenheitsziele, die von Fliegern beobachtet werden, sind eigene Lauerbatterien zu bestimmen, die sich für etwaige Anforderung des Fliegers bereithalten.

10. Zur Bekämpfung von "Tanks" (Panzerkraftwagen) und von Inf.-Begleitgeschützen, die mit den feindl. Angriffswellen vorgehen, sind eigene Nahkampfgeschütze bestimmt, die soweit vorne eingebaut sind, dass sie mit unmittelbarer Beobachtung schiessen können. Sie dürfen nur zu diesem Zweck oder zur unmittelbaren Sturmabwehr feuern. Die Geschützführer handeln selbständig nach eigener Beobachtung. Beobachtungen aus vorderer Linie über Tanks usw. sind ihnen mitzuteilen. Die Batlns.- und Komp.-Führer, in deren Abschnitt sie stehen, müssen ihre Plätze wissen und haben sich von ihrer Stellung aus das Gelände anzusehen, um festzustellen, ob und in welcher Richtung ihre Beobachtung ergänzt werden muss.

11.) 5 cm. Kan. und 3,7 cm. Schnellf. Kan. sind taktisch den Abschnitts-Kdeuren. unterstellt und wie M. G. zur Sturmabwehr zu verwenden.

12.) Div.-Verfg. vom 13. 11. 16 I Nr. 3576 tritt ausser Kraft und ist zu vernichten.

gez. v. Borries.

Verteilt:

12
17
6
3
—
38

F. d. R.

Kriebel

Hauptm. im Genstb.

VI. — Rapport du Commandant de l'Artilllerie de campagne de la 43e Division de réserve.

(7 AOUT 1917.)

Kommandeur der Feldartillerie
der 43. R. D.
I. Nr. I/108/17

Den 7. August 1917.

Artillerie-Befehl.

Der heutige Gang durch die Stellungen gibt mir zu nachstehenden Bemerkungen Veranlassung.

1.) 4./278. Die Stellung ist ungünstig gewählt, die Batterie steht viel zu tief und kann mit ihrer kürzesten Schussentfernung in südwestl. Richtung kaum Sperrfeuer in diesen Raum schiessen. Bei Auswahl von Feuerstellungen muss unbedingt berücksichtigt werden, dass eine möglichst grosse Geländestrecke hinter der eigenen vorderen Linie im Falle eines feindl. Durchbruchs unter Feuer genommen werden kann. Die Batterie ist daher in 2 Zügen geteilt einzubauen (mit dem 1. Zug östl. der Strasse Laval-Chevregny).

Bis morgen 12 Uhr mittags sind durch Gruppe Nord die kürzesten Schussentfernungen der einzelnen Geschütze bei Schussrichtung Süd, Südsüdwest und Südwest zu melden.

2.) 7./43. Auch diese Batterie steht viel zu tief. Bei ihrer Auswahl musste sie mindestens um 100 m. am Hang weiter hinaufgeschoben werden. Weder der Aufstellungsort noch die von der Batterie am 28. 7. gemeldeten kürzesten Schussentfernungen stimmen. Letztere waren bei den Geschützen, die ich geprüft habe, in Südwestrichtung über 4000 m. (Vergl. Bemerkung zu Stellung der 4./278).

Kürzeste Schussentfernungen sind ebenso wie bei 4./278 zu prüfen und zu melden.

Der Ausbau der Stellung hat mir garnicht gefallen. Für Fliegerschutz ist nicht genügend gesorgt. Hinter der Batterie geht ein deutlich sichtbarer ausgetretener Fusspfad. Von weither sind die Stollenanlagen zu sehen. Im Vorgelände der Batterie befinden sich eine Unmenge von Bäumen, wodurch das Schussfeld sehr beschränkt und Frühzerspringer hervorgerufen werden. Durch Fällen von Bäumen oder Absägen von störenden Aesten ist dies ohne Schwierigkeit zu vermeiden. Dies hat umgehend zu erfolgen. Es müsse in der Stellung alle Vorkehrungen getroffen werden, damit jederzeit von sämtlichen Geschützen, selbst bei der Nacht, Zielwechsel vorgenommen werden können, ohne dass noch Arbeiten im Vorgelände vorgenommen werden müssen. Es ist dabei zu berücksichtigen, dass selbst dünne Aeste Frühzerspringer hervorrufen können. Bei einem Geschütz fand ich eine grössere Menge Lehm im Rohr. Die Aufstellung des Sperrfeuerpostens ist ungeeignet. Es fehlt die Tafel für den Sperrfeuerposten.

3.) Batterie 739. Für Fliegerschutz ist nichts geschehen. Die Geschütze und Munition sind völlig offen für Fliegererkundung. Wenn hier keine Aenderung schleunigst eintritt, wird die Batterie in kürzester Zeit zusammengeschossen sein. Der Batterieführer ist für Abstellung dieser Mängel verantwortlich.

Leermaterial war in grossen Mengen vorhanden.

Tafel für Sperrfeuerposten fehlte.

4.) 8./43. Gut ausgesuchte Stellung, an deren Ausbau gut gearbeitet wird.

Tafel für Sperrfeuerposten fehlte.

5.) 5./L. 57. wie 8./43.

In alter Stellung der 2./43 (früher 7./43) lagert noch eine Menge Leermaterial. Die Batterie hat dieses umgehend abfahren zu lassen und Erledigung zu melden.

Vorher ist durch 1 Offizier zu prüfen, dass alles Leermaterial aus und in der Nähe dieser Stellung abgefahren ist.

7.) Vorstehende Bemerkungen sind von sämtlichen Battrn. genau zu beobachten.

F. d. R. gez. Rochlitz..
X.....
Leut. u. Adj.

VII. — Notice sur les Obus à gaz.

(Deutsche Gelbkreuzmunition.)

(V. *supra* Ire partie, p. 89 l'étude sur la *Guerre chimique*.)

A. O. K. 7.
St. O. Gas Nr. 3993

Deutsche Gelbkreuzmunition ! (1)

Gelbkreuzgas ist geruch- und geschmacklos, bei trockenem Wetter kaum sichtbar, daher erhöhte Vorsicht und Aufmerksamkeit bei Lagerung und Verwendung dringend geboten !!

Sicherheitsmassnahmen :

1.) Undichte Gelbkreuzgeschosse alsbald verfeuern, andernfalls vergraben. Nur mit dicken Handschuhen anfassen ! Wenn mit Gelbkreuzstoff getränkt, auch nicht mit Handschuhen berühren !

2.) Lagerung getrennt in kleinen Stapeln windahwärts, und bei Höhenstellungen unterhalb, von Batteriestellungen über mit Brettern bedeckten Gruben oder Gräben. Grund : Ermöglichung des Versackens der Munition bei Volltreffer.

3.) Grünkreuz II ohne Zünder und Zündladung lagern !

4.) Blaukreuz ohne Körbe, kein brennbares Material in der Nähe !

---

(1) L'original est imprimé en caractères *latins*, de format carré (19/21 centimètres) et au recto seulement. Le mot « *Gelbkreuzmunition* » est en très gros caractère.

5.) Lockere Erde und Chlorkalk zum Zuschütten der zerschlagenen Munition bei den Geschossstapeln handlich bereithalten! Erst Chlorkalk, dann 1/2 m. Erde aufschütten. Sind in einem Gelbkreuzstapel einzelne Geschosse zerstört, den ganzen Stapel vergraben!

6.) Bei Beschädigung der Gelbkreuzmunition sofort Masken aufsetzen und gegen den Wind ausweichen! Kenntnis der Windrichtung jederzeit notwendig. Wetterfähnchen oder Wimpel.)

7.) In der Windrichtung liegende Nachbartruppen sofort warnen!

8.) Nicht nur Augen und Atmungsorgane, sondern auch Körper vor Berührung mit Gelbkreuzgas schützen! Gas dringt durch die Uniformen, entzündet Haut. Berührung mit Gelbkreuzstoff getränkter Geschosse, der verseuchten Erde und anderer Gegenstände auch mit gekleideter Hand unterlassen! Vergaste Kleidungsstücke sofort ablegen und nicht in Unterstand bringen! Maske solange nicht absetzen!

9.) Verseuchte, noch nicht entgaste Gräben, Unterstände und andere geschützte Räume bis zu einer Woche nach Vergasung nur mit Maske betreten! Kräftiger Luftzug beschleunigt Entseuchung. Bei grossen Mengen ausgelaufenen Gelbkreuzstoffes Divisions-Gasoffizier benachrichtigen, der sachgemässe Ausführung prüft.

10.) Beim Verschiessen der Gelbkreuzgeschosse nicht unmittelbar vor der Batterie ausserhalb der Deckung sich aufhalten wegen etwaigen Zur-Seite-Spritzens bei Frühzerspringern!

VIII. — Ordre secret du Commandant de l'Artillerie de la 103e D. I.

(*Tirs prévus d'obus à gaz.*)

8 OCTOBRE 1917.

Artillerie Kommandeur 103 Den 8. Oktober 1917.
Br. B. Nr. I. 620/17. geh.

Betr.: Beabsichtigte Gasschiessen („Denkzettel")

Denkzettel 3 *a* Gelbkreuzbrisanzschiessen gegen Jouy u. Aizy.

Skizze 3 *a*. Zu vergasende Fläche etwa 15 ha.

Einmalige Vergasung.

Ausführende Batterien : 1, 2 u. 3/R. 43.

Zielräume der einzelnen Batterien mit eingeteilten Zielfeldern siehe Skizze 3 *a*. Auf jedes Zielfeld ist in grösster Feuergeschwindigkeit ein Feuerüberfall mit Gelbkreuz- und gleichzeitig Brisanzmunition abzugeben. Nach jedem Feuerüberfall ist zur Schonung des Materials eine Pause von 1 Minute einzuschieben.

Bei jedem Feuerüberfall sind zu verschiessen :

Von jeder Batterie 150 Gelbkreuz u. 50 Brisanz.

Demnach verschiessen im Ganzen :

Battr. 1/R. 43.	(5 Zielfelder)	750 Gelbkreuz	u.	250	Brisanz.
» 2/R. 43.	(5 »)	750 »	u.	250	»
» 3/R. 43.	(5 »)	750 »	u.	250	»
	F. K. :	2250 Gelbkreuz	u.	750	Brisanz.

Bei ausgesprochenen nördlichen Winden (von Nordwest bis Nordost) ändert sich das Gelbkreuzbrisanzschiessen "Denkzettel 3 *a*" folgendermassen :

Anstelle der Zielräume der 1. u. 2/R. 43 bei 3 *a* (Vergasung von Jouy) treten die Gelbkreuzbrisanzschiessen

3 *b* u. 3 *c* gegen die Bereitstellungsgräben nördlich Blaupunkt 256 (Denkzettel 3 *b*) und nördlich des Schützentals (Denkzettel 3 *c*). Zielräume der 1/R. 43 u. 2/R. 43 mit eingezeichneten Feldern siehe Skizze 3 *b* u. 3 *c*. Einmalige Vergasung deiser Räume in der bei "Denkzettel 3 *a*" angegebenen Weise.

Der Zielraum der 3/R. 43. bleibt in jedem Falle gemäss Skizze 2 *a* bestehen.

Denkzettel 4 *a*. Gelbkreuzbrisanzschiessen gegen Unterstände, Bereitschaftslager und Annäherungswege in Hammer- und Ost-Schlucht.

Skizze 4 *a*. Zu vergasende Fläche etwa 24 ha. Einmalige Vergasung.

Ausführende Batterien : 4/205, 4., 5. u. 6/2. G.

Zielräume der einzelnen Batterien mit eingeteilten Zielfeldern siehe Skizze 4 *a*. Auf jedes Zielfeld ist ein Feuerüberfall mit Gelbkreuz und gleichzeitig mit Brisanzmunition in grösster Feuergeschwindigkeit abzugeben.

Zur Schonung des Materials ist nach jedem Feuerüberfall eine Pause von 1. Minute einzulegen.

Bei jedem Feuerüberfall sind zu verschiessen : von jeder Batterie : 75 Gelbkreuz u. 25 Brisanz.

Demnach verschiessen im Ganzen :

Battr.	4/205	(6 Zielfelder)	450 Gelbkreuz	u.	150	Brisanz.
»	4/2. G.	(6 »)	450 »	u.	150	»
»	5/2. G.	(6 »)	450 »	u.	150	»
»	6/2. G.	(6 »)	450 »	u.	150	»
		l. F. H. :	1800 Gelbkreuz	u.	600	Brisanz.

Bei Südwestwind fällt das Schiessen wegen Gefährdung der eigenen Infanterie aus.

Das Einschiessen für alle 4 vorstehend genannten Gelbkreuzbrisanzschiessen hat umgehend zu geschehen.

Ueber das Heranführen der Munition ergeht noch Befehl.

Es wird noch besonders darauf aufmerksam gemacht, dass nunmehr nur folgende Gasschiessen Gültigkeit haben :

"Denkzettel 1 *a*" Mittleres Gasschiessen mit Blaukreuz-Grünkreuz gegen Battrn. bei Volvreux-Fe. u. Chimy-Fe.

"Denkzettel 2 *a*" Gelbkreuzbrisanzschiessen gegen Battrn. u. Lager an der Chantereine-Fe. und in der Schlangen-Mulde.

"Denkzettel 3 *a*" Gelbkreuzbrisanzschiessen gegen Jouy u. Aizy bezw.

"Denkzettel 3 *b* u. 3 *c*" Gelbkreuzbrisanzschiessen gegen Bereitstellungsgräben im Verein mit einem Teil von "Denkzettel 3 *a*".

"Denkzettel 4 *a*" Gelbkreuzbrisanzschiessen gegen Hammer- und Ost-Schlucht.

Alle andern geplanten und früher angelegten Gasschiessen sind ungültig; die hierfür ausgegebenen Befehle u. Pausen sind zu vernichten.

gez. MICHELLY.

APPENDICE

I. — CARTES HORS TEXTE (dans la pochette à la fin du volume) :

CARTE FRANÇAISE D'ÉTAT-MAJOR AU 50.000e.

Front N.-E. de Soissons et N. de Vailly de juin à octobre 1917.

EXTRAIT DU PLAN DIRECTEUR FRANÇAIS AU 20.000e.

Front N. de Vailly au 18 septembre 1917.

NOTICE

SUR LES

PROCÉDÉS D'ENSEIGNEMENT DU VOCABULAIRE MILITAIRE

PAR

L'ÉTUDE DES DOCUMENTS

Le but assigné à l'enseignement de l'allemand à l'Ecole Spéciale Militaire, pendant la période décisive des hostilités, devait nous amener à coordonner l'application des méthodes universitaires de langues vivantes avec l'expérience acquise au cours de la campagne par les travaux de 2e Bureau d'Etat-Major aux Armées et à les adapter aux exigences du moment.

La pratique du dépouillement et de l'exploitation des documents militaires, la mise en valeur des interrogatoires de prisonniers et renseignements de tous ordres obtenus sur l'ennemi, les observations et témoignages personnels rapportés du théâtre des opérations comme autant de « cas concrets » à présenter à l'élève, tels étaient les éléments nouveaux que la guerre venait ajouter à notre arsenal pédagogique.

La nature des connaissances et aptitudes à donner au futur officier en vue de la conversation sur des sujets militaires et de l'interprétation rigoureuse de textes précis, nous imposait de combiner les procédés féconds et éprouvés de *méthode directe* avec des exercices de traduction se rapportant au même objet pour obtenir à la fois l'exactitude de la prononciation, la correction grammaticale, la précision du vocabulaire et l'aisance de l'élocution.

Sous une apparente aridité dans leur forme concise, les documents militaires n'en offrent pas moins pour l'enseignement de la langue étrangère une matière *vivante*, infiniment riche, s'adaptant aux procédés intuitifs les plus variés, grâce à l'emploi de plans, cartes ou croquis qui remplacent ici l'image des livres scolaires, permettent à tout instant d' « illustrer » le texte à expliquer, de « situer » dans l'espace et dans le temps les faits étudiés, et de les rendre tangibles.

Dans le présent Recueil, l'adjonction aux documents de la 103e D. I. allemande de croquis, plans directeurs et cartes indispensables pour suivre pas à pas la marche des événements d'une courte période d'opérations dans un secteur déterminé, servira de *démonstration* à l'application de la méthode ci-dessus indiquée.

Des ouvrages pédagogiques susceptibles de rendre les plus grands services dans les écoles militaires sont à écrire, qui extraieront des documents allemands de la guerre tous les éléments d'une méthode progressive d'acquisition de la terminologie militaire, selon un plan systématique analogue à celui des divers manuels d'instruction logiquement ordonnés, tels que le *Manuel du Chef de section* ou de l'*Officier de batterie*, publiés par le Grand Quartier Général pendant la guerre.

***

A titre d'indication et sans prétendre enfermer dans un schéma définitif exempt de perfectionnement un procédé d'enseignement, nous donnerons le plan d'une leçon pour l'étude des documents militaires, telle qu'elle peut être faite avec profit à des élèves *non débutants* en possession du vocabulaire général requis des candidats à une école militaire.

L'assimilation du texte proposé nous a paru nettement favorisée par la variété des exercices enchaînés l'un à l'autre et convergeant vers un même but. En faisant appel successivement à des facultés d'un ordre différent, l'intérêt reste en éveil jusqu'au moment de la *mise en œuvre* des éléments acquis avec lesquels l'élève pourra, en se libérant de l'imitation servile du texte étudié, exercer son imagination créatrice, mais aussi son sens des réalités militaires indispensables à quiconque aspire au commandement.

PLAN DE LEÇON

Texte proposé : 10 à 15 lignes pour des élèves moyens;
20 à 25 lignes pour des élèves avancés.

Sujet de la leçon. — Etude d'un ordre ou d'une question militaire théorique ou pratique (par exemple : extrait de règlement, instruction, circulaire).

1re PARTIE. — *Acquisition du vocabulaire.* — Exposé oral en langue étrangère de la question par le professeur, sans que l'élève ait aucun texte sous les yeux. Explication et commentaire des principaux « *Stichwörter* » écrits au fur et à mesure au tableau, notés par l'élève et, dans tous les cas où cela paraîtra nécessaire, traduits — au passage — par l'équivalent de notre terminologie militaire, pour s'assurer que les explications données sont suivies et comprises.

Au cours de son exposé, le professeur se servira de figures, cartes ou croquis dans la plus large mesure et chaque fois qu'il sera possible.

2e PARTIE. — *Contrôle par la traduction.* — Le texte expliqué et commenté est mis sous les yeux de l'élève.

Lecture et traduction d'ensemble du texte proposé.

3e PARTIE. — *Applications grammaticales par le thème de retraduction improvisée.* — Au moyen des « *Stichwörter* » inscrits au tableau, le professeur, reprenant l'enchaînement des idées de son exposé de la première partie, composera des phrases assez courtes de thème, avec plus ou moins de difficultés grammaticales à résoudre, selon la force des élèves, et les fera traduire instantanément, à tour de rôle, par un élève. A la correction immédiate des erreurs de traduction pourront s'associer les autres élèves.

4e PARTIE. — *Exploitation du texte étudié au point de vue des applications militaires.* — *a*) Improvisation de questions à poser à un prisonnier, déserteur ou habitant du pays ennemi et se rapportant au sujet étudié (dialogue de professeur à élève ou d'élève à élève);

b) Rédaction au tableau, par un élève, de message, rapport ou compte rendu ayant trait aux documents expliqués.

Lecture de cartes, croquis, plans et photographies aériennes. — Il est essentiel qu'un officier en campagne soit à même de faire, *en langue étrangère*, une lecture de carte aussi détaillée que possible. L'utilité d'un entraînement particulier à cet exercice n'est plus à démontrer, comme en témoignent les nécessités et les expériences du Service de Renseignements, aussi bien dans la guerre de position que dans la guerre de mouvement.

Les divers spécimens de croquis et cartes d'état-major que nous publions pourront servir de point de départ à de nombreux exercices de conversation sur des sujets usuels, en vue d'interrogatoires de prisonniers ou de reconnaissances, tels que :

Description du terrain;

Tour d'horizon d'un point culminant;

Itinéraires de marches, relèves, patrouilles et convois;

Cantonnement de troupes;

Répartition de troupes dans un cantonnement ou dans un secteur;

Emplacement d'organisations ennemies : réseaux de tranchées, abris, postes de commandement, dépôts de munitions, parcs, lignes de chemin de fer, voies stratégiques, etc., etc.

Il est à souhaiter que la publication ultérieure de *photographies aériennes* prises au cours de la guerre par les services d'aéronautique et l'emploi du *cliché* agrandi et projeté sur l'écran permettent de compléter les indications des cartes et plans directeurs, et deviennent un précieux auxiliaire de l'enseignement intuitif de la terminologie militaire étrangère.

COMPOSITION

ET

EMPLOI DU LEXIQUE

Pour composer notre lexique, nous nous sommes attachés à recueillir dans les documents surtout les termes militaires nouveaux et abréviations de création récente qu'on ne rencontrerait pas dans les dictionnaires ou répertoires antérieurs à cette guerre. Nous y avons toutefois fait figurer quelques termes anciens pour faciliter la lecture du recueil.

Certains mots composés nouveaux employés dans les textes s'expliqueront naturellement par la signification des éléments de composition traduits dans le lexique et par le contexte.

Une lecture d'ensemble du lexique avant d'aborder l'étude et la traduction des documents pourra rendre service au lecteur et aplanir les difficultés. Pour favoriser ce travail, nous avons souvent groupé les composés ou dérivés se rattachant à un même terme.

LEXIQUE ALLEMAND-FRANÇAIS

DES

PRINCIPAUX TERMES MILITAIRES ET ABRÉVIATIONS

DU VOLUME

A

A. = Armee : *armée.*
abblasen : *émettre (gaz).*
Abhörapparat (der) : *écouteur.*
ablösen : *relever.*
Ablösung (die) : *relève.*
Ablösungsweg (der) : *chemin de relève.*
Abrichter (der) : *instructeur.*
abriegeln : *encager (par un tir).*
Absatz (der) : *berme (fortif.).*
Abschlagen! *pas de route!*
Abschn. = Abschnitt (der) : *secteur.*
Abschnittskommandeur (der) : *commandant de secteur.*
Abstand (der) : *intervalle, distance en profondeur.*
abstreuen : *arroser (de projectiles).*
Abt. = Abteilung (die): *détachement.*
Abwehr (die) : *défense, défensive.*
abweisen : *repousser.*
Adj. = Adjutant (der) : *officier adjoint* ou *adjudant-major.*
Afl. = Artillerieflieger : *avion d'artillerie.*
Akte (die) : *pièce, document d'archives.*
Alarm (der) : *alerte.*
  stiller Alarm : *alerte sans batterie, ni sonnerie.*
  Probealarm : *exercice d'alerte.*
Alarmierung (die) : *moyen d'alerte.*
Alarmquartier (das) : *cantonnement d'alerte.*
Aelteste (der) : *le plus ancien.*
  der Coupé — : *chef de compartiment.*
  Quartier — : *chef de cantonnement.*
  Stuben — : *chef de chambrée.*
  Wagen — : *chef de voiture.*
Anforderung (die) : *réquisition, demande.*
angeschnitten : *recoupé.*
Anlagen (die) : *ouvrages, bâtiments.*
Anmarschstrasse (die) : *route d'approche.*
Annäherungsweg (der) : *cheminement défilé.*
Anordnung (die) : *ordre, disposition.*
Anschluss (der) : *contact, liaison, raccordement.*
ansetzen : *poser, mettre, appliquer.*
Anzug (der) : *tenue.*
  — feldmarschmässiger A. : *tenue de campagne.*
Anweisung (die) : *consigne, instruction, directive.*
A. O. K. = Armee-Ober-Kommando : *commandement d'une armée.*
Arbeiterabteilung (die) : *détachement de travailleurs.*
Arbeiterbataillon (das) : *bataillon de travailleurs.*
Armeereserve (die): *réserve d'armée.*

aufgelöst : *en ordre dispersé.*
Aufklärung (die) : *exploration.*
Auflage (die) : *appui (de l'arme).*
aufprotzen : *amener les avant-trains.*
abprotzen : *mettre en batterie.*
Auftrag (der) : *mission.*
Ausgabezeit (die) : *heure de distribution.*
aushalten : *tenir, endurer.*
Ausheben (das) : *capture, enlèvement.*
Ausrüstungsstück (das) : *l'effet d'équipement.*
Aussage (die) : *déclaration (prisonnier).*
ausweichen : *se replier.*
Auto (das) : *l'automobile.*
das Panzer — : *auto blindée.*
das Sanitäts — : *auto sanitaire.*
Autohupe (die) : *trompe d'auto.*
Autokolonne (die) : *convoi d'autos.*

B

B. = Bataillon (das).
b. bayr. = bayrisch : *bavarois.*
Bagage (die) : *train.*
— die Gefechtsbagage : *train de combat.*
— die grosse Bagage : *train régimentaire.*
Bahnverkehr (der) : *circulation sur voie ferrée.*
Ballonzug (der) : *section d'aérostiers.*
Bar. = Baracke (die) : *baraquement.*
Batl. = Bataillon (das) : *bataillon.*
Batt. Battr. = Batterie (die): *batterie.*
— das Batterienest : *nid de batterie.*
— die Batteriestellung : *position de batterie.*
— die Schildbatterie : *batterie de pièces munies de boucliers.*
Befehlsführung (die) : *exercice du commandement.*
Befehlsstelle (die) : *poste de commandement.*
Beitreibung (die) : *réquisition.*
(Syn. : Anforderung, Requisition.)
Bekämpfung (die) : *contre-batterie* (Art).
Bekleidungsstück (das) : *effet d'habillement.*
belegen (mit Feuer) : *prendre sous le feu.*
Beobachtungsstelle (die) : *observatoire.*
Bereitschaft (die): *position d'attente.*
— -sbüchse (die) : *boîte à masque.*
Bereitstellung (die) : *position d'attente.*
der Bereitstellungsplatz : *place d'armes.*
beritten : *monté.*
Besatzung (die) : *garnison.*
Besetzung (die) : *occupation.*
beschiessen : *bombarder.*
Bespannung (die) : *attelage.*
Bestand (der) : *effectif, état numérique.*
eiserner Bestand : *vivres de réserve.*
gegürteter Bestand : *réserve de cartouches sur bande.*
Bestätigung (die) : *confirmation.*
bestreichen : *balayer.*
betr. = betreffend, betreffs : *concernant.*
bzw. = beziehungsweise : *relativement;* ou *éventuellement.*
Biwak (das) : *bivouac.*
Blaukreuz (das) : *(obus à) croix bleue.*
Blindgänger (der) : *projectile non éclaté à l'arrivée.*
Blinkstelle (die) : *poste de signalisation à éclats.*
Branderscheinung (die) : *lueur d'incendie.*
Brandröhre (die): *fusée incendiaire.*
Br.B. = Brigade-Befehl : *ordre de la brigade.*
Brieftaube (die) : *pigeon-voyageur.*
Brig. = Brigade : *brigade.*
Brisanzmunition (die) : *obus de rupture.*
Brotbeutel (der) : *étui-musette.*
Brustwehr (die) : *parapet.*
— -böschung (die) : *talus du parapet.*
Btlns - Gef-Stelle. = Bataillons-Gefechtsstelle : *poste de commandement de bataillon.*

D

Deckung (die) : *protection, couvert, abri.*
Denkzettel (der) : *memento (pour tir prévu).*

d.h. = das heisst : *c'est-à-dire.*
Div. = Division : *division.*
Div. St. Qu. = Divisions-Stabsquartier : *quartier général de la division.*
Dienstgrad (der) : *grade, gradé.*
Dienstobliegenheit (die) : *devoir du service.*
Dienstvorschrift (die) : *instruction sur le service.*
Dienstweg (der) : *voie hiérarchique, officielle.*
Dolmetscher (der) : *interprète.*
Draht (der) : *fil de fer.*
Drahtgewirr (das) : *lacis de fils de fer.*
Drahthindernis (das) : *barrière* ou *réseau de fils de fer.*
Drahtverhau (der) : *enchevêtrement de fils de fer, réseau.*
Drahtziehen (das) : *pose de réseau.*
die Verdrahtung : *pose de réseau.*
Durchmesser (der) : *diamètre.*
der Boden — : *diamètre du culot (d'obus).*
der Lauf — : *diamètre du canon (de fusil).*

E

Ehrenbezeugung (die) : *marques extérieures de respect, honneurs.*
eigen : *propre;* eigene Linie : *ligne allemande.*
einbauen : *installer sous abri (p. ex. un lance-mines).*
Einebnung (die) : *nivellement.*
eingraben : *creuser (p. ex. : une tranchée).*
Eingreiftruppe (die) : *troupe d'intervention.*
einreichen : *remettre, présenter (p. ex. : une proposition).*
einrücken : *arriver (en parlant de troupes).*
— ant : ausrücken : *partir.*
Einsatz (der) : *entrée en ligne (de troupes); tampon du masque à gaz.*
einschiessen : *régler le tir.*
Einschiesspunkt (der) : *point de réglage.*
Einschlag (der) : *arrivée du coup, point de chute.*
einsetzen : *entrer en action (tir); mettre en ligne (des troupes); engager (des troupes).*
eintreffen : *arriver.*
Eintreffezeit (die) : *heure d'arrivée.*
Einweisung (die) : *mise en place, dispositif.*
Eisenbahntransport (der) : *transport par voie ferrée.*
E. M. = Erkennungsmarke (die) : *plaque d'identité.*
Entfernungsschätzen (das) : *appréciation des distances.*
entsichern : *armer (un fusil) en dégageant la sûreté.*
Erdaufwurf (der) : *levée de terre.*
Ergänzungsmannschaften (die): *hommes de complément.*
Erkennungszeichen (das) : *signal de reconnaissance.*
erkunden : *reconnaître.*
Erleichterung (die) : *allègement.*
Essenholen (das) : *corvée de soupe aux cuisines.*
exerziermässig : *d'exercice.*

F

F. = Feld : *campagne.*
Fahneneid (der) : *serment au drapeau.*
Fahnenflucht (die) : *désertion.*
Fahrzeugpark (der) : *parc à voitures.*
F. A. R. = Feldartillerieregiment : *régiment d'artillerie de campagne.*
Feldart. = Feldartillerie.
Feldbahn (die) : *chemin de fer de campagne.*
Feldflasche (die) : *bidon.*
Feldgebetbuch (das) : *livre de prières (de campagne).*
Feldgendarm (der) : *gendarme de la prévôté.*
Feldhaubitze (die) : *obusier de campagne.*
Feldmagazin (das): *magasin de campagne.*
Feldstandgericht (das) : *cour martiale.*
Feldwache (die): *petit-poste, grand'garde.*
Feldwachhabende (der) : *chef de poste.*
Feldwebel (der) : *sergent-major.*
Fernsprecher (der) : *téléphone.*
Fernspruch (der) : *message téléphoné.*

Fesselballon (der) : *ballon captif.*
festlegen : *établir, déterminer.*
Feststellung (die) : *constatation.*
Festungskrieg (der) : *guerre de tranchées.*
Feuer (das) : *feu, tir.*
das Abriegelungsfeuer : *tir d'encagement.*
das Beunruhigungsfeuer : *tir de harcèlement.*
das Dauerfeuer : *tir continu.*
das Einzelfeuer : *tir coup par coup, feu par pièce, tir individuel.*
das Lagerfeuer : *feu de bivouac.*
das Längsfeuer : *tir d'enfilade.*
das Leuchtsatzfeuer : *feu de bengale.*
das Schutzfeuer : *tir de protection.*
das Schrägfeuer : *tir oblique, d'écharpe.*
das Sperrfeuer : *tir de barrage.*
das Störungsfeuer : *tir de harcèlement.*
das Verfolgungsfeuer : *tir de poursuite.*
das Vernichtungseuer : *tir d'anéantissement.*
das Zerstörungsfeuer : *tir de destruction.*
feindl. fdl. = feindlich : *ennemi.*
feindwärts : *dans la direction de l'ennemi.*
feuerbereit : *prêt à tirer, en batterie.*
Feuergeschwindigkeit (die) : *rapidité du tir.*
Feuerraum (der) : *zone de tir battue ou à battre.*
Feuerüberfall (der) : *feu par rafales.*
Feuerzucht (die) : *discipline au feu.*
F.K. = Feldkanone : *canon de campagne.*
F.L. Abt. = Feldluftschifferabteilung (die) : *détachement d'aérostiers de campagne.*
Flachfeuerbatterie (die) : *batterie de pièces à trajectoire tendue.*
Flak. = Fliegerabwehrkanone (die) : *canon contre avion.*
Flanke (die) : *flanc.*
Flankenfeuer (das) : *feu de flanc.*
Flieger (der) : *aviateur, avion.*
die Fliegeraufnahme : *photographie par avion.*
die Fliegerbeobachtung : *observation par avion.*
das Fliegerbild : *épreuve photographique aérienne.*
die Fliegersicht : *reconnaissance d'avion.*
der Kampfflieger : *avion de combat.*
Flugzeug (das) : *avion.*
das Beobachtungsflugzeug : *avion d'observation.*
das Jagd-Bombenflugzeug : *avion de chasse et de bombardement.*
Förderbahn (die) : *voie étroite à traction animale.*
Fr. Franz. Frz. = französisch : *Français.*
Freiwillige (der) : *volontaire.*
Front (die) : *front.*
Frühzerspringer (der) : *éclatement prématuré.*
Führer (der) : *guide, chef, commandant.*
der Gruppenführer : *chef de groupe.*
der Korporalschaftsführer : *chef d'escouade.*
der Zugführer : *chef de section.*
Führungszeugnis (das) : *certificat de bonne conduite.*
Funkenstation die) : *poste de T. S. F.*
Füs. = Füsilier (der) : *fusilier.*
Fussartl. = Fussartillerie (die) : *artillerie à pied.*

G

Gangbarmachung (die) : *organisation de cheminement.*
Gasalarm (der) : *alerte au gaz.*
Gasangriff (der) : *attaque par les gaz.*
Gasbeschiessung (die) : *bombardement par obus à gaz.*
Gasfeuer (das) : *tir d'obus à gaz.*
Gasgeschoss (das) : *projectile à gaz.*
Gasgranate (die) : *obus à gaz.*
Gaskampf (der) : *combat par les gaz.*
Gasmaske (die) : *masque protecteur contre les gaz.*
Gasoffizier (der) : *officier du service des gaz.*
Gasschiessen (das) : *tir d'obus à gaz.*

Gasschutz (der) : *protection contre les gaz.*
Gaswolke (die) : *nuage de gaz.*
Gebrauchsanweisung (die) : *mode d'emploi.*
Gebrauchsgarnitur (die) : *collection usagée (d'effets).*
Gebühr (die) : *l'allocation.*
die Geldgebühr : *allocation en en argent.*
Nahrungsgebühr : *allocation de nourriture.*
Gefechtsgruppe (die) : *groupe de combat.*
gefechtsfähig : *en état de combattre.*
Gefechtsfeld (das) : *champ de bataille.*
Gefechtsstand (der) : *poste de commandement, poste d'observation de combat.*
Gefr. = Gefreite (der) : *soldat de 1re classe.*
Gegenstoss (der) : *contre-attaque.*
geh. = geheim : *confidentiel, secret.*
Gelände (das) : *terrain.*
das Hintergelände : *terrain en arrière (d'une position).*
das Vorgelände : *terrain avancé.*
Gelbkreuzbrisanzschiessen (das) : *tir d'obus brisants à croix jaune (asphyxiants).*
Gen.d.Art. = General der Artillerie : *Général commandant d'armée, originaire de l'artillerie.*
Generalmarsch (der) : *générale.*
Generalstabsoffizier (der) : *officier d'état-major.*
Gen.Kdo = Generalkommando : *état-major de corps d'armée.*
Genstb. = Generalstab : *état-major général.*
Gepäck (das) : *bagage, chargement.*
Geschossbahn (die) : *trajectoire.*
Geschütz (das) : *pièce d'artillerie.*
das Begleitgeschütz : *canon d'accompagnement.*
das Belagerungsgeschütz : *pièce de siège.*
das Feldgeschütz : *canon de campagne.*
das Festungsgeschütz : *pièce de place forte.*
Gestellung (die) : *appel sous les drapeaux, affectation.*
Gewehr (das) : *fusil.*
(Parties principales. — der Lauf : *canon ;* die Visiereinrichtung : *hausse ;* der Verschluss : *culasse;* der Schaft : *fût;* der Stock : *baguette ;* der Beschlag : *garniture ;* das Zubehör : *accessoires.*)
gez. = gezeichnet : *signé.*
G.I.D. = Garde-Infanterie-Division : *Division d'infanterie de la Garde.*
Gleichschritt (der) : *pas cadencé.*
Glied (das) : *rang.*
Graben (der) : *tranchée.*
der Annäherungsgraben : *boyau de cheminement.*
der Bereitstellungsgraben : *tranchée de position d'attente.*
der Deckungsgraben : *tranchée de soutien.*
der Laufgraben : *tranchée de circulation.*
der Schützengraben : *tranchée de tir normale.*
der erweiterte Schützengraben : *tranchée élargie.*
der Verbindungsgraben : *boyau de communication.*
der Wohngraben : *tranchée-abri.*
der Zulaufgraben : *boyau d'accès.*
Grabenkanone (die): *canon de tranchée.*
Grabenstück (das): *élément de tranchée.*
totes Grabenstück : *élément de tranchée abandonnée.*
Grabenvertiefung (die) : *approfondissement de tranchée.*
Granate (die) : *obus.*
die Eierhandgranate : *grenade ovoïde à main.*
die Handgranate : *grenade à main.*
die Stielhandgranate : *grenade à manche.*
die Wurfgranate : *grenade de jet.*
Grenze (die) : *frontière, limite.*
Gr. H. Q. = Grosses Haupquartier (das) : *grand quartier général.*
Gros (das) : *gros.*
das Vorpostengros : *gros des avant-postes.*
Grufl. = Gruppenführer der Flieger : *chef de groupe d'avions.*
Grünkreuzgranate (die): *obus à croix verte (asphyxiant).*

Gr.W. = Granatwerfer (der) : *lance-grenades.*
Gummidichtung (die) : *joint de caoutchouc.*
Gummistoff (der): *tissu caoutchouté.*

H

ha = Hektar : *hectare.*
Handhabung (die) : *maniement.*
Handpferd (das) : *cheval de main.*
Hauptstoss (der) : *choc principal.*
Helmüberzug (der) : *couvre-casque.*
heranschliessen : *serrer (les rangs).*
Heulsirene (die) : *sirène d'alarme.*
Hindernis (das) : *obstacle, défense accessoire.*
das Annäherungshindernis : *défense accessoire.*
das Pfahldrahthindernis : *réseau de fils de fer (sur piquets).*
Hindernisbau (der): *construction de défenses accessoires.*
Höhe (die) : *hauteur, cote.*
Horchposten (der) : *poste d'écoute.*
Hornist (der) : *clairon.*
H.Qu. = Haupt-Quartier (das) : *quartier général.*
Hupe (die) : *trompe (d'auto).*
Hut (die) : *garde.*
die Vorhut : *avant-garde.*
die Nachhut : *arrière-garde.*

I

I.Inf. = Infanterie : *infanterie.*
I.D. = Infanterie Division : *division d'infanterie.*
I.Pi.Kdo. = Infanterie Pionier Kommando : *détachement de pionniers d'infanterie.*

J

Jäg. Bat. = Jäger Bataillon : *bataillon de chasseurs.*

K

K. = Kompagnie, Korps : *compagnie corps.*
K. 1 Graben = erster Kampfgraben : *tranchée de combat de première ligne.*
Kagohl. = Kampfgeschwader der Obersten Heeresleitung : *escadrille de combat à la disposition du haut commandement.*
Kal. = Kaliber (das) : *calibre.*
Kampfgebiet (das) : *zone de combat.*
Kan. = Kanone (die) : *canon.*
die Revolverkanone : *canon-revolver.*
die Schnellfeuerkanone : *canon à tir rapide.*
Kartusche (die) : *gargousse.*
Kartuschenbrand (der) : *incendie de gargousses.*
Kasten (der) : *boîte du chargeur.*
Kd.Kdr. = Kommandeur (der) : *commandant.*
kehrt! *demi-tour!*
Kennzeichen (das) : *marque, signe distinctif.*
K. H. Qu. = Korps Haupt Quartier (das) : *quartier général du corps d'armée.*
Kleinfunkerstation (die) : *poste de T. S. F. de faible rayon.*
Knall (der) : *détonation.*
Knotenpunkt (der) : *point de jonction, patte d'oie.*
Kochgeschirr (das) : *gamelle de campagne, marmite individuelle.*
Kochgraben (der) : *tranchée pour cuisines.*
Kommando (das) : *commandement, équipe, corvée.*
das Bezirkskommando : *bureau de recrutement de la subdivision.*
das Erntekommando : *équipe de moisson.*
Komp.-Führer (der) = Kompagnie-Führer : *commandant de compagnie.*
Koppel (die) (das) : *ceinturon.*
Kraftwagen (der) : *automobile.*
Kriegsartikel (der) : *article du Code de justice militaire (loi martiale).*
Kriegsdenkmünze (die) : *médaille commémorative de guerre.*
Kriegsfertigkeit (die) : *préparation à la guerre.*
Kriegsgarnitur (die) : *collection de guerre.*
Kriegskreuz (das) : *croix de guerre.*
Kriegsportion (die): *ration de guerre.*
Kriegsstammrolle (die) : *contrôle nominal, matricule de guerre.*
Kriegsverrat (der) : *trahison.*

K.T.K. = Kampftruppen Kommando (das) : *commandement des troupes de combat.*

L

l. = leicht : *léger.*
L. = Landwehr.
L.Abt. = Luftschifferabteilung (die) : *détachement d'aérostiers.*
Ladehemmung (die) : *enrayage.*
Ladestörung (die) : *enrayage.*
Ladestreifen (der) : *bande de cartouches.*
Ladung (die) : *charge.*
Lage (die) : *salve.*
Lahmlegen (das) : *neutralisation (d'une batterie).*
Lastkraftwagen (der) : *camion automobile.*
Lauer (die) : *guet, écoutes.*
Lauerbatterie (die) : *batterie en position de surveillance.*
Läutewerk (das) : *sonnerie.*
Leuchtkugel (die) : *artifice éclairant de signalisation.*
l.F.H. = leichte Feldhaubitze (die) : *obusier léger de campagne.*
Leistungsfähigkeit (die) : *capacité, force, puissance.*
Leuchtzeichen (das) : *signal lumineux.*
lg.F.K.Gr. : *obus allongé de canon de campagne.*
Lichtverbindung (die) : *liaison optique.*
Losung (die) : *mot d'ordre.*
Lücke (die) : *brèche, chicane.*
Luftaufklärung (die) : *reconnaissance aérienne.*
Luftfahrzeug (das) : *appareil aérien.*

M

M = Masstab (der) : *échelle.*
m = Meter (das) : *mètre.*
Mann (der) pl. die Mannschaften : *homme.*
der Hintermann : l'*homme placé derrière.*
der Nebenmann : l'*homme placé à côté.*
der Vordermann : l'*homme placé devant*
Marschfühlung (die) : *contact en marche.*
Marschgeschwindigkeit (die) : *vitesse de marche, allure.*
Marschordnung (die) : *ordre de marche.*
der Anmarschweg : *chemin d'approche.*
der Ausmarsch : *départ.*
Maske (die) : *masque pour tireur, camouflage.*
Maskierter Weg : *chemin camouflé.*
Materiallager (das) : *dépôt de matériel.*
Materialtransport (der) : *transport de matériel.*
Meldeläufer (der) : *coureur.*
melden : *annoncer, rendre compte, faire un rapport.*
Meldereiter (der) : *estafette.*
Meldg. = Meldung (die) : *rapport, compte rendu, message.*
Merkblatt (das) : *notice.*
Messplan (der) : *plan directeur.*
Messplanbeob. = Messplanbeobachtung : *observation faite par la section de plan directeur.*
Messstelle (die) : *poste de repérage.*
Messtrupp (der) : *section de repérage.*
M.G. = Maschinengewehr (das) : *mitrailleuse.*
leichtes M.G. : *fusil-mitrailleur.*
M. G. K. = Maschinengewehrkompagnie (die) : *compagnie de mitrailleuses.*
M. G. O. b. St. = Maschinengewehroffizier beim Stab : *officier mitrailleur à l'état-major.*
M.G. Ss. Abt. = M.G. Scharfschützenabteilung (die) : *groupe de mitrailleuses d'élite.*
Minenwerfer (der) : *mortier de tranchée, lance-bombes.*
mittl. = mittlerer : *moyen.*
mittl. Kal. = mittleres Kaliber (das): *calibre moyen.*
mm. = Millimeter (das) : *millimètre.*
Mobilmachung (die) : *mobilisation.*
Mörser (der) : *mortier.*
Mörserstand (der) : *emplacement de mortier.*
Mulde (die) : *dépression de terrain.*
Mundring (der) : *cartouche du masque à gaz.*
Mündungsfeuer (das) : *lueurs de bouche à feu.*
Mündungskappe (die) : *couvre-bouche.*

Munition (die) : *munitions.*
die Gasmunition : *projectile asphyxiant.*
gegürtete Munition : *cartouches sur bandes.*
die Leuchtmunition : *cartouche éclairante.*
die Signalmunition : *cartouche à signaux.*
Munitionseinsatz (der) : *emploi (de munitions).*
Munitionsersatz (der) : *réapprovisionnement en munitions.*
Munitionstapelplatz (der) : *entrepôt de munitions.*
Munitionsverbrauch (der) : *consommation de munitions.*

N

nachm. = nachmittags : *après-midi.*
Nachrichtenmittel (das): *moyen d'information.*
Nachrichtensammelstelle (die): *centre de renseignements.*
Nachschub (der) : *approvisionnement, ravitaillement, remplacement.*
Nachschuboffizier (der) : *officier d'approvisionnement.*
Nahkampfmittel (das) : *engin destiné au combat rapproché.*
Nahkampfgeschütz (das) : *canon pour le combat rapproché.*
Nebelhorn (das) : *sirène d'alarme en cas de brouillard.*
Neuanlage (die) : *ouvrage, bâtiment nouveau.*
nördl. = nördlich : *au nord de.*
Notbehelf (der) : *moyen de fortune.*
Notverband (der)) : *pansement individuel.*

O

O. = Offizier (der) (en composition) : *Officier.*
Off. Offz. = Offizier (der) : *Officier.*
Offizierdiensttuer (der) : *faisant tions d'officier de service.*
O. H. L. = Oberste Heeresleitung : *haut commandement de l'armée. grand quartier général.*
Ortsgruppe (die) : *groupe fixe.*
Ortskommandant (der) : *commandant de cantonnement, major de la garnison.*
östl. = östlich : *à l'est de.*

P

Panzerkraftwagen (der) : *automobile blindée.*
Patrone (die) : *cartouche.*
die Signalpatrone : *cartouche à signaux.*
Patronenbehälter (der) : *poche à cartouches (du sac).*
Patronentasche (die) : *cartouchière.*
Patr. Meldg. = Patrouillenmeldung (die) : *compte rendu de patrouille.*
die Gefechtspatrouille : *patrouille de combat.*
die Sicherungspatrouille: *patrouille de sûreté.*
die Verbindungspatrouille : *patrouille de liaison.*
die Verfolgungspatrouille : *patrouille de poursuite.*
Pause (die) : *pause, temps d'arrêt, calque.*
Pi. = Pionier (der) : *pionnier.*
planmässig : *méthodique, selon un plan déterminé.*
Planpause (die) : *calque.*
Pl. Qu. = Planquadrat (der) : *quadrillage de carte ou de plan directeur.*
Planquadratzahl (die) : *coordonnées du plan directeur.*
Platz (der) : *place, lieu.*
der Alarmplatz : *lieu de rassemblement en cas d'alerte.*
der Appellplatz : *lieu de rassemblement en cas d'alerte.*
der Lagerplatz : *entrepôt, campement.*
Polizeibehörde (die) :*police.*
Porteepeeunteroffizier (der) : *sous-officier ayant droit à la dragonne d'officier.*
Portion (die) : *ration.*
die Tagesportion : *ration journalière.*
Posten (der) : *sentinelle, poste.*
Posten aufführen : *poser des sentinelles.*
Postenaufstellung (die) : *pose des sentinelles.*

Postenkette (die) : *chaîne des sentinelles.*
Postenloch (das) : *trou de guetteur.*
Postenschuss (der) : *tir de sentinelle.*
Postenstand (der) : *poste de sentinelle.*
Posten vor dem Gewehr (der): *sentinelle devant les armes.*
der Doppelposten : *sentinelle double.*
der Sicherungsposten : *sentinelle de protection.*
der Unteroffizier(s)posten : *poste avancé sous les ordres d'un sous-officier.*
der Vorpostendienst : *service des avant-postes.*
die Vorpostenkompagnie : *compagnie d'avant-postes.*
die Vorpostenreserve : *réserve des avant-postes.*
Postierung (die) : *poste avancé.*
Proviantkolonne (die) : *convoi administratif.*
Punkt (der) : *point.*
der Blaupunkt : *point indiqué en bleu sur carte ou plan directeur.*
der Haltepunkt : *point visé.*
der Rotpunkt : *point indiqué en rouge sur carte ou plan directeur..*

Q

Q. = quadrat : *carré.*
Qu. = Quartier (das) : *quartier.*
Quartiergeber (der) : *l'habitant logeant de la troupe.*
Quartiermacher (der) : *officier ou sous-officier chargé de préparer le cantonnement.*
Quartierverpflegung (die) : *nourriture chez l'habitant.*
Quartierzettel (der) : *billet de logement.*
das Alarmquartier : *cantonnement d'alerte.*
das Massenquartier : *cantonnement en masse.*
einquartieren : *cantonner*, loger.

R

R. = Regiment, Reserve : *régiment, réserve.*
Radfahrer (der) : *cycliste.*
Rasenstück (das) : *motte de gazon.*
Rast (die) : *halte, repos.*
Rauchfahne (die) : *panache de fumée.*
Rauchrakete (die) : *fusée fumigène.*
R. D. = Reservedivision (die) : *division de réserve.*
Regts. Gef. Stand = Regimentsgefechtsstand (der) : *poste de combat du commandant du régiment.*
Reitertrupp (der) : *détachement de cavaliers.*
Reisemarsch (der) : *étape.*
R. F. A. R. = Reservefeldartillerieregiment : *régiment d'artillerie de campagne de réserve.*
Rgt. = Regiment (das) : *régiment.*
Riegel (der) : *verrou.*
Riegelstellung (die) : *position verrouillée ou de barrage.*
Riemen (der) : *courroie, bretelle de fusil.*
der Leibriemen : *ceinturon.*
Ring (der) : *anneau, ceinture.*
der Führungsring : *ceinture de projectile.*
R.I.R. = Reserveinfanterieregiment : *régiment d'infanterie de réserve.*
R.K. = Revolverkanone (die) : *canon revolver.*
Rohr (das) : *tube.*
Rohrkrepierer (der) : *éclatement prématuré dans l'âme du canon.*
Rückenwehr (die) : *parados.*

S

Sandgrube (die) : *sablière.*
Sandsack (der) : *sac à terre.*
Sandsackbauten (die): *constructions en sacs à terre.*
Sammeln (das) : *rassemblement.*
Sanitatsmannschaften (die) : *infirmiers.*
Sanitätsunterstand (der) : *poste de secours.*
Sappe (die) : *sape.*
Sappenkopf (der) : *tête de sape.*
Schanzarbeit (die) : *terrassement.*
Schanzstelle (die) : *emplacement de travaux de terrassement.*
Schanzzeug (das) : *outillage de pionnier.*
Scharte (die) : *créneau, embrasure.*
Scheinwerfer (der) : *projecteur.*

Schiessen (das) : *tir, fusillade, canonnade.*
niederschiessen : *abattre d'un coup de feu, fusiller.*
schliessen : *serrer (les rangs), appuyer.*
geschlossen : *en ordre serré.*
Schloss (das) : *culasse.*
Schnelldraht (der) : *fil de fer pour réseau instantané.*
Schnelladegewehr (das) : *fusil mitrailleur.*
Shrapnell (der) : *obus à balles, shrapnell.*
Schritt (der) = Λ (signe conventionnel) : *pas.*
Schulterklappe (die): *patte d'épaule.*
Schulterwehr (die) : *épaulement, traverse.*
Schuppen (der) : *hangar.*
Schuss (der) : *coup de feu, de fusil, de canon.*
der Einzelschuss : *tir coup par coup.*
Schussfeld (das) : *champ de tir.*
Schussrichtung (die) : *direction du tir.*
schusssicher : *protégeant contre les balles et les obus de petit calibre.*
Schusswaffe (die) : *arme à feu.*
Schussweite (die) : *portée.*
Schützenauftritt (der) : *banquette de tir ou de combat.*
erweiterter Schützengraben (der) : *tranchée élargie.*
verstärkter Schützengraben (der) : *tranchée renforcée.*
Schützenlinie (die) : *ligne de tirailleurs.*
Schützennest (das) : *abri de tirailleurs.*
Schützennische (die : *niche de tirailleur.*
schw. = schwer : *lourd.*
Seitendeckung (die) : *flanquement.*
Seitengewehr (das) : *baïonnette.*
Seitengewehr pflanzt auf ! *baïonnette au canon!*
Seitenpatrouille (die) : *patrouille de flanc.*
Selbstretter (der) : *appareil à oxygène contre l'asphyxie.*
s.F.H. = schwere Fe' haubitze (die) : *obusier lourd de campagne.*
Sicherheitsbesatzung (die) : *garnison de sûreté.*
Sicherheitsmassnahme (die) : *mesure de sûreté.*
sichern : *couvrir.*
Sicherung (die) : *service de sûreté.*
Sicht (die) : *les vues.*
Signal (das) : *signal.*
das Hornsignal : *sonnerie de clairon*
Signalpfeife (die) : *sifflet à signaux.*
Sitzstufe (die) : *banquette pour tireur assis.*
Skizze (die) : *croquis.*
Soldbuch (das) : *carnet de prêts individuel.*
Sp. Artl. = Sperrfeuerartillerie (die) : *artillerie de barrage.*
Sperrfeueranforderung (die) : *demande de tir de barrage.*
Spielleute (die) : *tambours, fifres et clairons.*
Spitze (die) : *pointe d'avant-garde.*
die Nachspitze : *pointe d'arrière-garde.*
Splitterstern (der) : *étoile éclairante de fusée-signal.*
Sprengung (die) : *destruction par explosif.*
Sprengstück (das) : *éclat de projectile).*
Sprung (der) : *bond.*
St. = Stab (der) : *état-major.*
Stacheldraht (der) : *fil de fer barbelé.*
Stacheldrahtpferch (der) : *enclos de fil de fer barbelé.*
Stahlflasche (die) : *réservoir en acier (pour gaz asphyxiants).*
Standort (der) : *garnison, emplacement.*
Stärke (die) : *effectif.*
Steilfeuerbatterie (die) : *batterie de pièces lourdes à tir vertical.*
Stellung (die) : *position.*
die Aufstellung : *mise en place, pose, disposition.*
Stellungsbau (der) : *organisation de position, travaux de campagne.*
Stirnschild (der) : *bouclier de parapet.*
Stollen (der) : *abri profond, galerie de mine.*
Stollenbau (der) : *construction d'abris profonds.*
Stollenholz (das) : *bois de mine.*
Störungsfeuer (das) : *tir de harcèlement.*

stopfen : *cesser le feu (infanterie).*
Stossabteilung (die) : *détachement spécial d'attaque.*
Stosskompagnie (die) : *compagnie de choc.*
Stossunternehmen (das) : *coup de main.*
Strasse frei! *dégagez la route!*
Streife (die) : *course errante.*
streifen : *battre la campagne.*
Streifen (der) : *bande-chargeur pour mitrailleuse.*
Streuung (die) : *dispersion.*
Sturmabwehr (die) : *défense contre l'assaut.*
Sturmanlauf (der) : *élan de l'assaut.*
Sturmtrupp (der) : *détachement d'assaut.*
Stützpunkt (der) : *point d'appui.*

T

Tagesbericht (der) : *compte rendu journalier.*
Tageseinflüsse (die) : *conditions atmosphériques du jour.*
Tankbekämpfung (die): *combat contre les tanks.*
Tornisterklappe (die) : *patelette du sac.*
Trägerdienst (der) : *service de porteur.*
Trägerkompagnie (die) : *compagnie de porteurs.*
Transport (der) : *convoi, transport.*
Transportführer (der) : *chef de convoi.*
Trassierband (das) : *ruban traceur.*
Trommelfeuer (das) : *feu roulant.*
Tr. P. = trigonometrischer Punkt (der) : *point trigonométrique.*
Trupp (der) : *détachement, groupe.*
der Haupttrupp : *gros de l'avant-garde.*
der Nachtrupp : *gros de l'arrière-garde.*
der Vortrupp : *tête de l'avant-garde.*
Truppenteil (der) : *corps de troupe.*
Truppenverbandplatz (der) : *poste de secours ou de pansement.*
Tuch (das) = Signaltuch : *drap ou panneau de signalisation.*

U

u. = und.
u.a. = unter anderm : *entre autres.*
Uebergang (der) : *passage.*
Ueberläufer (der) : *déserteur.*
Uebernahme (die) : *prise de possession.*
überweisen : *affecter à.*
Ueberwachung (die) : *surveillance.*
Uebersicht (die) : *vue d'ensemble.*
Umdruck (der) : *exemplaire autographié.*
umgehen : *tourner.*
umhängen : *mettre sac au dos, s'équiper.*
ungef. = ungefähr : *approximativement.*
Uniformstück (das) : *effet d'habillement.*
Unkenntlichmachen (das) : *camouflage.*
Unterbindung (die) : *interception.*
Unterbringung (die): *logement, cantonnement.*
Unterhändler (der) : *parlementaire.*
Unterkunft (die) : *cantonnement, abri.*
Unterlage (die) : *base.*
Unterstand (der) : *abri de combat.*
Unterstützung (die) : *soutien.*
Untffz. = Unteroffizier (der) : *sous-officier.*
Urlaub (der) : *congé, permission.*
der Sonderurlaub : *permission exceptionnelle.*
der Beurlaubtenstand : *position de disponibilité, de congé.*
u.s.w. = und so weiter : *et ainsi de suite.*

V

Verband (der) : *unité constituée.*
Verbandpäckchen (das) : *pansement individuel.*
Verbandplatz (der) : *poste de secours.*
Verbindung (die) : *liaison.*
die Augenverbindung : *liaison à vue directe.*
Verbindungsmann (der) : *homme, agent de liaison.*
Verbindungsrotte (die) : *file de liaison.*
Verbindungsweg (der): *voie de communication.*

verdichten : *renforcer, resserrer.*
vereinbaren : *convenir de, concerter.*
Verfahren (das) : *méthode, procédé.*
Verfg. = Verfügung (die) : *prescription.*
verfolgen : *poursuivre.*
vergasen : *infecter, couvrir de gaz (par un tir d'obus asphyxiants).*
Verhaftung (die) : *arrestation.*
Verlauf (der) : *développement (d'un combat), tracé (d'un ouvrage de fortification).*
Vernehmung (die) : *interrogatoire.*
Vernichtungsfeuer (das) : *tir de destruction.*
Verpflegung (die) : *nourriture du soldat, ravitaillement en vivres.*
Verpflegungsempfang (der) : *distribution de vivres; ravitaillement.*
Versacken (der) : *fractionnement (des munitions entreposées).*
verschiessen : *tirer, consommer (des munitions).*
versprengt : *dispersé, isolé, égaré.*
Verteidigungseinrichtung (die) : *organisation défensive.*
Verteilungsplan (der) : *plan de répartition*
V. O. = Verbindungsoffizier : *officier de liaison.*
Visier (das) : *hausse.*
Volltreffer (der) : *projectile ou coup au but.*
Vorbereitung (die) : *préparation (d'artillerie).*
vordere Linie : *première ligne (de tranchées).*
Vorgelände (das) : *terrain avancé.*
Vorgesetzte (der) : *supérieur.*
Vorp.Komp. = Vorpostenkompagnie (die) : *compagnie d'avant-postes.*
Vorpostenkommandeur (der) : *commandant des avant-postes.*
vorschieben : *avancer, pousser en avant.*
Vorschlag (der) : *proposition.*
vorschriftsmässig : *conforme au règlement.*
vorspringend : *en saillant.*
Vorstellung (die) : *position avancée.*
vorstossen : *attaquer brusquement, exécuter un coup de main.*
Vortragen (das) : *exécution (d'une attaque).*
vorverlegen : *allonger le tir.*
vorziehen : *porter en avant.*
V.s.d.D. = von Seiten der Division : *au nom du commandant de la division.*

W

Wache (die) : *garde, poste.*
 die Auszenwache : *poste extérieur.*
 die Innenwache : *garde de police.*
Waffengattung (die) : *spécialité d'arme.*
Wagen (der) : *voiture, fourgon.*
 der Lebensmittelwagen : *fourgon à vivres.*
 der Packwagen : *fourgon à bagages.*
 der Patronenwagen : *voiture à cartouches.*
 der Sanitätswagen : *voiture d'ambulance.*
Wahrnehmung (die) : *observation.*
Wechselstellung (die) : *position de rechange.*
Welle (die) : *vague (d'assaut).*.
westl. = westlich : *à l'ouest de.*
Wirkungsschiessen (das) : *tir d'efficacité.*

Z

Zahlmeister (der) : *trésorier, payeur des corps de troupe.*
Zapfenstreich (der): *retraite, extinction des feux.*
Zeichen (das) : *signe conventionnel, signal.*
 das Alarmzeichen : *signal en cas d'alerte.*
 das Erkennungszeichen : *signal de reconnaissance.*
 das Leuchtpistolenzeichen : *signal de cartouche éclairante.*
Zeichenerklärung (die) : *légende.*
Zelt (das) : *tente.*
Zeltbahn (die) : *toile de tente.*
Zerstörungsfeuer (das) : *tir de destruction.*
Ziel (das) : *but, objectif.*
 das Erdziel : *objectif terrestre.*
 das Gelegenheitsziel : *but occasionnel. objectif passager.*
Zielfeld (das): *champ d'action d'une batterie, zone d'ensemble des objectifs.*
Zielraum (der) : *dimensions d'un but déterminé.*

Ziff. = Ziffer (die) : *chiffre.*
Zone (die) : *zone.*
die Vorfeldzone : *zone en avant des positions.*
Zufahrtsweg (der) : *voie d'accès carrossable.*
Zug (der) : *section.*
Zugkolonne (die) : *colonne par sections.*
Zünder (der) : *fusée (d'obus).*
Zündladung (die) : *chargement de la fusée.*
Zusatz (der) : *additif.*
zuteilen : *affecter à.*

Exemples d'abréviations se rapportant à des unités :

9./71 = 9e compagnie du 71e régiment d'infanterie.

3./R.116 = 3e compagnie du 116e régiment de réserve.

III./71 = 3e bataillon du 71e régiment d'infanterie.

II./I.R.32 = 2e bataillon du 32e régiment d'infanterie.

10./L.85 = 10e compagnie du 85e régiment de Landwehr.

11./Augusta = 11e compagnie du Régiment Augusta.

I./F.A.R.504. = 1er groupe (Abteilung) du 504e régiment d'artillerie de campagne.

4./278 = 4e batterie du 278e régiment d'artillerie de campagne.

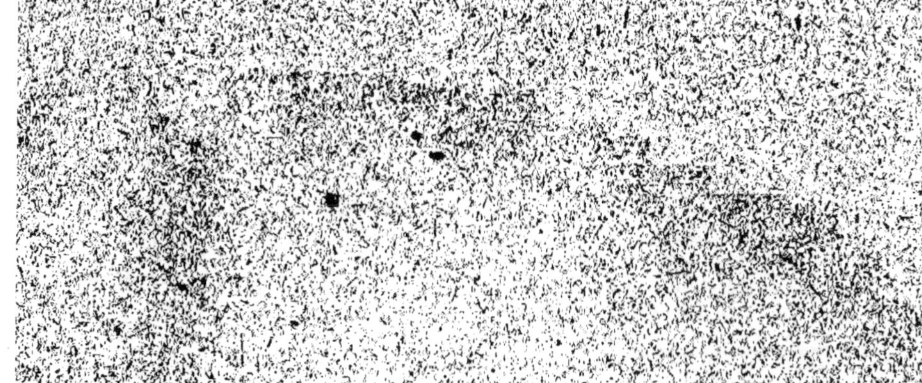

IMPRIMERIES RÉUNIES DE NANCY

Front Nord de Vailly _ 18 Septembre 1917

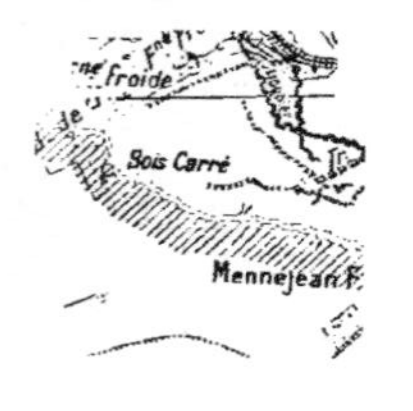

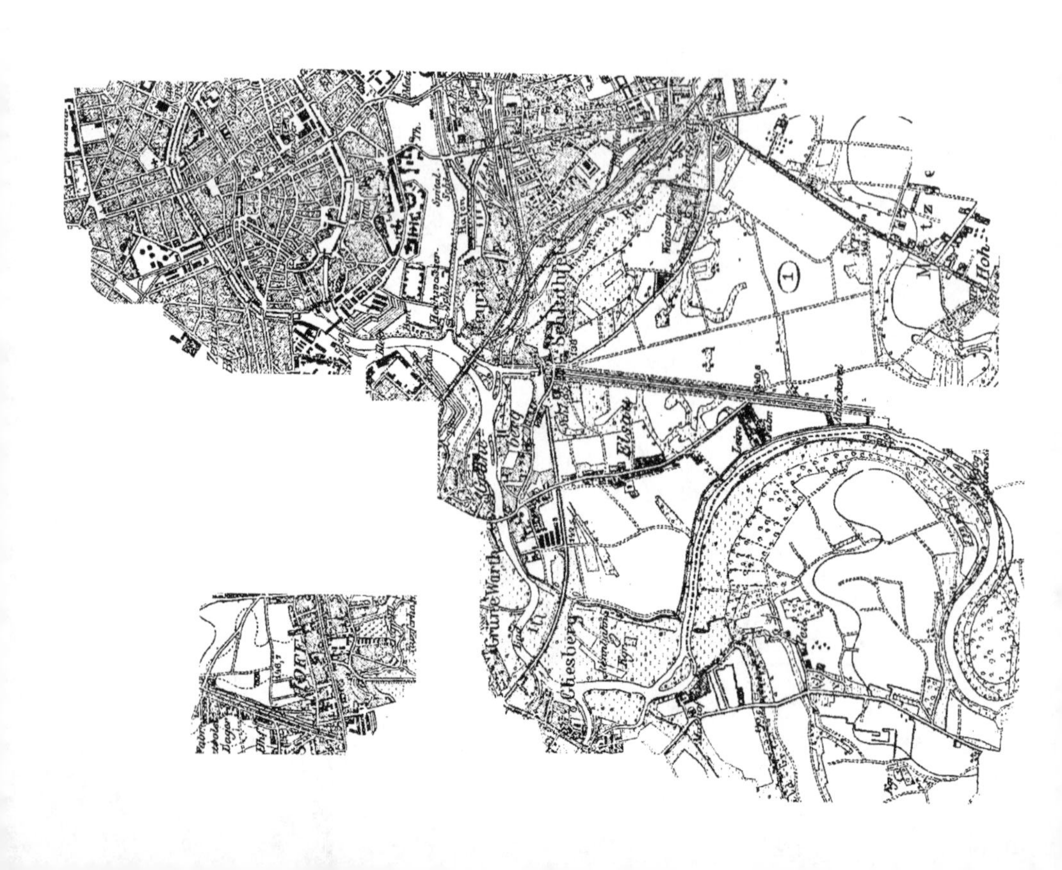

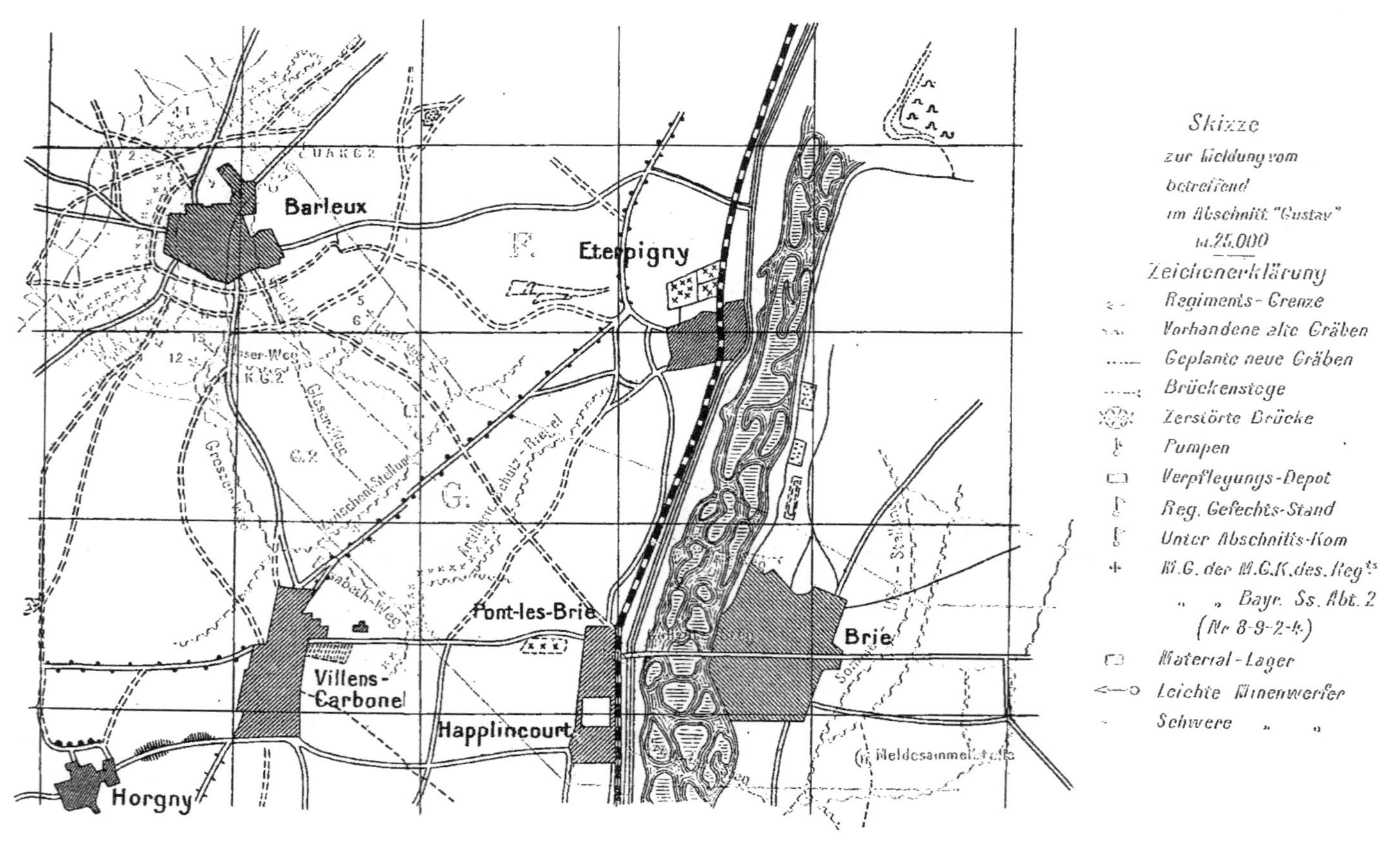

GRIFFON. — *Recueil de documents militaires allemands.*

CONCORDANCES DES GRADES.

-o-o-o-o-o-o-o-o-o-o-o-

Officiers Generaux.

General Feldmarschall :Marechal de France
General Oberst :General cdt d'Armé
General :General de Corps d
General Leutenant :General de Divisio
General Major :General de Brigade

Officiers Superieurs.

Oberst : Colonel.
Oberst Major : Lieutenant Colone
Major : Chef de Bataillon

Officiers subalternes.

Hauptmann o. Rittmeister:Capitaine.
Oberleutanant :Lieutanant.
Leutenant :Sous-Lieutenant.

Sous-Officiers(mit Porte-épée)

Stabsfeldwebel : +de I2 ans de
Hauptfeldwebel :Adjudant-chef.
Oberfahnrich : Aspirant de Ière
Feldwebel oder
Wachmeister :Adjudant.
Fahnrich : Aspirant de 2eme

Sous-Officiers(ohne Portepée)

Unterfeldwebel oder
Unterwachmeister :Sergent-chef ou Mi
Unteroffiziee :Sergent ou Mis.

Hommes de troupe.

Unteroffizier-Anwarter:Eleve sous-offici
Stabsgefreiter :Caporal + I2 ans d
Obergefreiter :Cap-chef ou Brig.-
Gefreiter :Caporal ou Brigadi
Oberschutze :Soldat de Iere cl.
Schutze : Soldat 2eme cl.